2020年版 ハン検 過去問題集 1級

上級

「ハングル」能力検定試験

まえがき

「ハングル」能力検定試験は日本で初めての韓国・朝鮮語検定試験として、1993年の第1回実施から今日まで53回実施され、延べ出願者数は43万人を超えました。これもひとえに皆さまのご支持の賜物と深く感謝しております。

ハングル能力検定協会は、日本で「ハングル」[*1)]を普及し、日本語ネイティブの「ハングル」学習到達度に公平・公正な社会的評価を与え、南北のハングル表記の統一に貢献するという3つの理念で検定試験を実施して参りました。

2019年春季第52回検定試験は全国61ヶ所、秋季第53回検定試験は72ヶ所の会場で実施され、出願者数は合計20,231名となりました。

本書は「2020年版ハン検[*2)]過去問題集」として2019年第52回、第53回検定試験の問題を各級ごとにまとめたものです。それぞれに問題(聞きとりはＣＤ)と解答、日本語訳と詳しいワンポイントアドバイスをつけました。

「ハン検」は春季第50回検定試験より試験の実施要項が変わり、一部問題数と形式も変わりました。新実施要項に対応した本書で、試験問題の出題傾向や出題形式を把握し、これからの本試験に備えていただければ幸いです。

これからも「ハングル」を学ぶ日本語ネイティブのための唯一の試験である「ハン検」を、入門・初級の方から地域及び全国通訳案内士などの資格取得を目指す上級の方まで、より豊かな人生へのパスポートとして、幅広くご活用ください。

最後に、本検定試験実施のためにご協力くださったすべての方々に、心から感謝の意を表します。

2020年3月吉日

特定非営利活動法人
ハングル能力検定協会

[*1)] 当協会は「韓国・朝鮮語」を統括する意味で「ハングル」を用いておりますが、協会名は固有名詞のため、「」は用いず、ハングル能力検定協会とします。
[*2)] 「ハン検」は「ハングル」能力検定試験の略称です。

目　次

まえがき……2
レベルの目安と合格ライン……4

第52回　１級
聞きとり・書きとり　問題……8
筆記　問題……22
聞きとり・書きとり　問題と解答……47
筆記　問題と解答……67
正答と配点……102
２次試験　課題文……104

第53回　１級
聞きとり・書きとり　問題……112
筆記　問題……125
聞きとり・書きとり　問題と解答……152
筆記　問題と解答……172
正答と配点……208
２次試験　課題文……210

反切表……214
かな文字のハングル表記……216

「ハングル」能力検定試験　資料……219

◎１級(超上級)のレベルの目安と合格ライン

■レベルの目安

幅広い場面で用いられる韓国・朝鮮語を十分に理解し、それらを自由自在に用いて表現できる。

・相手のみならず、場面や状況までを考慮した上で的確に意図の実現ができ、報告書やエッセイなどほとんどのジャンルを考慮したスタイルの選択も可能である。
・職業上の業務遂行に関連する話題などについても取り扱うことができる。
・幅広い話題について書かれた新聞の論説・評論などの理論的にやや複雑な文章や抽象度の高い文章、様々な話題の内容に深みのある文章などを読んで文章の内容や構成などを理解できる。
・要約や推論、論証や議論など、情報処理的にも高度なレベルが要求される処理を韓国・朝鮮語を用いて行うことができる。
・類推の力を働かせて、知らない単語の意味を大体把握できる上、南北の言葉の違いや頻度の高い方言なども理解することができる。連語や四字熟語、ことわざについても豊富な知識と運用力を持ち合わせており、豊かな表現が可能である。

※設問は韓国・朝鮮語

■合格ライン

●１次試験は100点満点(聞取・書取40点中必須16点以上、筆記60点中必須30点以上)中、70点以上合格。
●１次試験合格者は２次面接試験に進む。

◎記号について

［　］：発音の表記であることを示す。
〈　〉：漢字語の漢字表記(日本漢字に依る)であることを示す。
(　)：当該部分が省略可能であるか、前後に(　)内のような単語などが続くことを示す。
【　】：品詞情報など、何らかの補足説明が必要であると判断された箇所に用いる。
「　」：Point中の日本語訳であることを示す。
★：大韓民国と朝鮮民主主義人民共和国とでの、正書法における表記の違いを示す(南★北)。

◎「､」と「；」の使い分けについて

１つの単語の意味が多岐にわたる場合、関連の深い意味同士を「､」で区切り、それとは異なる別の意味で捉えた方が分かりやすいものは「;」で区切って示した。また、同音異義語の訳についても、「；」で区切っている。

◎／ならびに｛／｝について

／は言い替え可能であることを示す。用言語尾の意味を考える上で、動詞や形容詞など品詞ごとに日本語訳が変わる場合は、例えば、「～｛する／である｝が」のように示している。これは、「～するが」、「～であるが」という意味である。

1級

聞・書 20問/30分
筆　記 50問/80分

2019年 春季 第52回
「ハングル」能力検定試験

【試験前の注意事項】
1）監督の指示があるまで、問題冊子を開いてはいけません。
2）聞きとり試験中に筆記試験の問題部分を見ることは不正行為となるので、充分ご注意ください。
3）この問題冊子は試験終了後に持ち帰ってください。
マークシートを教室外に持ち出した場合、試験は無効となります。
※CD 3などの番号はＣＤのトラックナンバーです。

【マークシート記入時の注意事項】
1）マークシートへの記入は「記入例」を参照し、ＨＢ以上の黒鉛筆またはシャープペンシルではっきりとマークしてください。ボールペンやサインペンは使用できません。
訂正する場合、消しゴムで丁寧に消してください。
2）解答は、オモテ面のマークシートの記入欄とウラ面の記述式解答欄に記入してください。
記述式解答をハングルで書く場合は、南北いずれかのつづりに統一されていれば良いものとします。二重解答は減点される場合があります。
3）氏名、受験地、受験地コード、受験番号、生まれ月日は、オモテ・ウラもれのないよう正しくマークし、記入してください。
4）マークシートにメモをしてはいけません。メモをする場合は、この問題冊子にしてください。
5）マークシートを汚したり、折り曲げたりしないでください。

※試験の解答速報は、6月2日の試験終了後、協会公式ＨＰにて公開します。
※試験結果や採点について、お電話でのお問い合わせにはお答えできません。
※この問題冊子の無断複写・ネット上への転載を禁じます。

◆次回 2019年 秋季 第53回検定：11月10日（日）実施◆

第52回 マークシート

「ハングル」能力検定試験

個人情報欄 ※必ずご記入ください

受験級	受験地コード	受験番号	生まれ月日
1 級 ••• ⬬			月 日

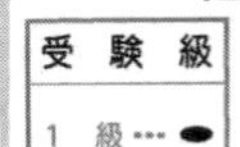
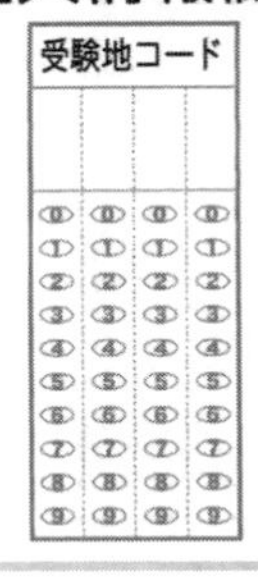
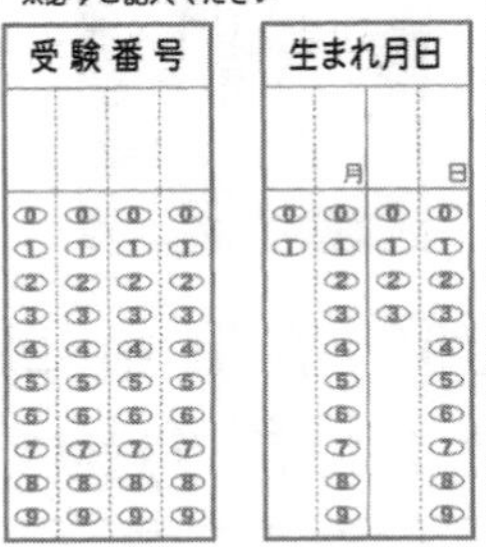

氏名

受験地

(記入心得)
1. ＨＢ以上の黒鉛筆またはシャープペンシルを使用してください。(ボールペン・マジックは使用不可)
2. 訂正するときは、消しゴムで完全に消してください。
3. 枠からはみ出さないように、ていねいに塗りつぶしてください。

(記入例)解答が「1」の場合

良い例 ⬬ ② ③ ④

悪い例 レ点 線 バッテン 点 うすい

聞きとり

1	①	②	③	④
2	①	②	③	④
3	①	②	③	④
4	①	②	③	④
5	①	②	③	④
6	①	②	③	④
7	①	②	③	④
8	①	②	③	④
9	①	②	③	④
10	①	②	③	④
11	①	②	③	④
12	①	②	③	④

※記述式解答は裏面に記入してください。

筆　記

1	①	②	③	④
2	①	②	③	④
3	①	②	③	④
4	①	②	③	④
5	①	②	③	④
6	①	②	③	④
7	①	②	③	④
8	①	②	③	④
9	①	②	③	④
10	①	②	③	④
11	①	②	③	④
12	①	②	③	④
13	①	②	③	④
14	①	②	③	④
15	①	②	③	④
16	①	②	③	④
17	①	②	③	④
18	①	②	③	④
19	①	②	③	④
20	①	②	③	④
21	①	②	③	④
22	①	②	③	④
23	①	②	③	④
24	①	②	③	④
25	①	②	③	④
26	①	②	③	④
27	①	②	③	④
28	①	②	③	④
29	①	②	③	④
30	①	②	③	④
31	①	②	③	④
32	①	②	③	④
33	①	②	③	④
34	①	②	③	④
35	①	②	③	④
36	①	②	③	④
37	①	②	③	④
38	①	②	③	④
39	①	②	③	④
40	①	②	③	④
41	①	②	③	④
42	①	②	③	④

※記述式解答は裏面に記入してください。

KI3227T 110kg

ハングル能力検定協会

マークシート

個人情報欄 ※必ずご記入ください

受験級	受験地コード	受験番号	生まれ月日	氏名
1級			月 日	見本
				受験地

聞きとり・書きとり記述式解答欄 ※印は協会使用欄

7 得点

		※
1)	①	※
	②	
2)	①	※
	②	
3)	①	※
	②	
4)	①	※
	②	

8 得点

		※
1)	①	※
	②	
2)	①	※
	②	
3)	①	※
	②	
4)	①	※
	②	

筆記記述式解答欄 ※印は協会使用欄

13 得点

1)		※
2)		※
3)		※
4)		※

14 得点

1)		※
2)		※
3)		※
4)		※

ハングル能力検定協会

듣기와 받아쓰기 문제

CD 2

1 들으신 문장의 내용과 일치하는 것을 하나 고르십시오.
(마크시트의 1번～2번을 사용할 것)　〈2点×2問〉

CD 3

1）＿＿＿＿＿＿＿＿＿＿＿＿＿＿＿＿ [1]

①＿＿＿＿＿＿＿＿＿＿＿＿＿＿＿＿

②＿＿＿＿＿＿＿＿＿＿＿＿＿＿＿＿

③＿＿＿＿＿＿＿＿＿＿＿＿＿＿＿＿

④＿＿＿＿＿＿＿＿＿＿＿＿＿＿＿＿

CD 4

2）＿＿＿＿＿＿＿＿＿＿＿＿＿＿＿＿ [2]

①＿＿＿＿＿＿＿＿＿＿＿＿＿＿＿＿

②＿＿＿＿＿＿＿＿＿＿＿＿＿＿＿＿

③＿＿＿＿＿＿＿＿＿＿＿＿＿＿＿＿

④＿＿＿＿＿＿＿＿＿＿＿＿＿＿＿＿

問 題

CD 5

2 대화를 듣고 다음에 이어질 내용으로 가장 알맞은 것을 하나 고르십시오.

(마크시트의 3번～4번을 사용할 것) 〈2点×2問〉

CD 6

1) 여 : ______________________________

____

남 : ______________________________

____

여 : ______________________________

____

남 : (3)

① ______________________________

② ______________________________

③ ______________________________

④ ______________________________

CD 7

2）여 : --

남 : --

여 : --

남 : (　　　　　**4**　　　　　)

①--

②--

③--

④--

問　題

CD 8

3 대화문을 듣고 물음에 답하십시오.
(마크시트의 5번～6번을 사용할 것)　〈2点×2問〉

CD 9

1) 남자의 생각으로 맞는 것을 하나 고르십시오.　**5**

여 : ______________________

남 : ______________________

____

여 : ______________________

____

남 : ______________________

____

여 : ______________________

____

남 : ______________________

____

問題

①

②

③

④

問　題

CD11

2） 여자의 생각으로 맞는 것을 하나 고르십시오. **6**

여 : ______________________________

____

남 : ______________________________

____

여 : ______________________________

____

남 : ______________________________

____

여 : ______________________________

____

남 : ______________________________

____

①______________________________

②______________________________

③______________________________

④______________________________

CD13

4 문장을 듣고 물음에 답하십시오.
(마크시트의 7번～8번을 사용할 것)　〈2点×2問〉

CD14

1) 문장의 내용과 일치하는 것을 하나 고르십시오.　**7**

①

②

③

④

問　題

CD16

2）문장의 내용과 일치하는 것을 하나 고르십시오.　**8**

①

②

③

④

問　題

CD18

5 대화문을 들으신 다음에 【물음１】～【물음２】에 답하십시오.

(마크시트의 9번～10번을 사용할 것)　〈2点×2問〉

CD19

남 : ______________________________

여 : ______________________________

____

남 : ______________________________

여 : ______________________________

____

남 : ______________________________

____

여 : ______________________________

____

問　題

【물음 1】 대화를 통해 알 수 있는 것을 하나 고르십시오. 9

① 여자는 한국어를 전혀 할 줄 모르면서 혼자 여행을 다녀왔다.
② 와이파이가 있는 곳에서만 이용할 수 있는 관광앱이 개발되었다.
③ 한국 방문 유치를 위해 저렴한 투어 상품이 개발되고 있다.
④ 여자는 새로운 정보를 얻지 못한 것에 대해 아쉬워하고 있다.

【물음 2】 대화의 내용과 일치하는 것을 하나 고르십시오. 10

① 여자는 관광정보안내 서비스를 통해 쾌적한 여행을 할 수 있었다.
② 여자는 한국어를 조금 할 수 있으므로 통역지원까지는 바라지 않았다.
③ 남자를 통해 여자는 미처 몰랐던 유용한 정보를 알게 되었다.
④ 남자는 한국을 여행할 때 관광 안내 앱에 의지하려고 마음 먹었다.

問題

CD20

6 문장을 들으신 다음에 【물음1】～【물음2】에 답하십시오.
(마크시트의 11번～12번을 사용할 것)　〈2点×2問〉

CD21

問　題

【물음 1】 글쓴이의 생각으로 알맞지 않은 것을 하나 고르십시오. 11

① 스마트폰으로 우리 생활이 편리해진 것은 환영할 만한 일이다.
② 스마트폰은 사람들간의 의사 소통 기회마저 빼앗아갔다.
③ 스마트폰의 사용으로 신문 구독이나 독서율이 떨어졌다.
④ 스마트폰의 편리함도 좋지만 독서를 통해 세상을 알아가는 것도 좋다.

【물음 2】 문장의 내용과 일치하는 것을 하나 고르십시오. 12

① 스마트폰으로 인해 도서 판매율이 떨어져 서점가가 타격을 입고 있다.
② 정신적인 풍요로움을 위해서 어느 정도의 불편은 감수해야 한다.
③ 정보를 손쉽게 얻기 위해서는 책을 가까이 해야 한다.
④ 스마트폰으로 인해 우리들의 생활 양식이 점점 바뀌고 있다.

第52回 問題

CD22

괄호 부분을 문맥에 맞게 번역하십시오. 답은 한 가지만을 쓰십시오. 한자 대신 히라가나로 써도 됩니다.
(마크시트 뒷면의 기술식 해답란을 사용할 것)

〈2点×4問〉

CD23

1) 다들 (日本語訳①) 난리인데 (日本語訳②) 태평하네요.

CD24

2) 그 사람은 (日本語訳①) 성격도 좋고 (日本語訳②).

CD25

3) 역사의 (日本語訳①) 그야말로 (日本語訳②).

CD26

4) 그는 (日本語訳①) 웃을 때 (日本語訳②) 매력적이다.

問題

CD27

8 괄호 부분을 한글로 받아쓰십시오.
(마크시트 뒷면의 기술식 해답란을 사용할 것)

〈2点×4問〉

CD28

1）（ **받아쓰기①** ）창가에 앉아 있으니 춘곤증이
（ **받아쓰기②** ）.

CD29

2）그 이야기를 듣고 마음이（ **받아쓰기①** ）
하고（ **받아쓰기②** ）했어요.

CD30

3）평소엔（ **받아쓰기①** ）굴다가 필요할 때만
（ **받아쓰기②** ）떨어지질 않는다.

CD31

4）마감이 코앞에（ **받아쓰기①** ）더 이상
（ **받아쓰기②** ）저리 가 있거라.

필기 문제

1

(　　　) 안에 들어갈 말로 가장 알맞은 것을 하나 고르십시오.
(마크시트의 1번～10번을 사용할 것)　　〈1点×10問〉

1) 상대방 입장도 들어 보지 않고 (**1**)하기에는 일러요.

① 성취　② 괴리　③ 속단　④ 고취

2) (**2**)를 많이 해서 입맛이 없는지 통 밥을 안 먹네요.

① 주전부리　② 마무리　③ 갈무리　④ 자투리

3) 그는 (**3**) 자신에게 주어진 기회를 놓칠까 봐 노심초사했다.

① 어련히　② 누누이　③ 여간　④ 행여

問 題

4) 이번 인사는 분위기를 (4) 조직 기강을 세운다는 깊은 의미가 있다.

① 불사하고 ② 쇄신하고 ③ 부응하고 ④ 경질하고

5) 사시사철 직장에 (5) 몸이라 맘 편히 여행도 못 간답니다.

① 매인 ② 얽힌 ③ 고인 ④ 밀린

6) 그의 (6) 노랫가락에 청중들은 빠져들고 말았다.

① 객쩍은 ② 허름한 ③ 심드렁한 ④ 구성진

7) 할 일이 없는 날에는 영화를 빌려다 보며 (7)을 달랜다.

① 담담함 ② 난삽함 ③ 무료함 ④ 조잡함

8) (8) 잠든 아기의 얼굴은 마치 천사와도 같아요.

① 소록소록 ② 보슬보슬 ③ 너울너울 ④ 뭉게뭉게

9）그는 난생 처음 낙방이라는（ **9** ）들고는 충격을 받은 듯했다.

① 피멍이　② 고배를　③ 주눅이　④ 사례를

10）경기 시작 3분 만에 슛을 성공시킴으로써 상대편 기선을（ **10** ）.

① 접었다　② 조였다　③ 집었다　④ 잡았다

2 (　　) 안에 들어갈 말로 가장 알맞은 것을 하나 고르십시오.
(마크시트의 11번～14번을 사용할 것)　〈1点×4問〉

1) 오래간만에 모시는 손님이라 이것저것 (**11**) 한상 차려 봤어요.

① 구색을 맞춰　② 밑도 끝도 없이
③ 염불 외듯　④ 가닥을 잡고

2) A : 중학교에 들어가더니 말대꾸도 많아진 것 같아요.
B : (**12**) 부모 말도 우습게 여기는 거죠.

① 오지랖이 넓어서　② 임자를 만났다고
③ 머리가 컸다고　④ 코가 꿰여서

3) 요즘 같은 어려운 국난의 시기에 우리들은 모두 (**13**) 해야 합니다.

① 곡학아세　② 극기복례　③ 결초보은　④ 가렴주구

4）A：아무리 어려운 일일지라도 초지일관하면 꼭 이루어질 거예요.

B：（ 14 ）는 말도 있으니까 포기하지 말아야겠어요.

① 우물에 가서 숭늉 찾는다　② 되로 주고 말로 받는다
③ 칼도 날이 서야 쓴다　④ 낙숫물이 바위 뚫는다

問　題

3

밑줄 친 부분과 바꾸어 쓸 수 있는 것을 하나 고르십시오.

(마크시트의 15번～18번을 사용할 것)　〈1点×４問〉

1）감추고 싶었던 옛날 일까지 들춰내며 놀리는 것이었다. 15

① 노닥이며　② 끄집어내며　③ 헤아리며　④ 분기하며

2）시장이 반찬이라고 밥 한 그릇을 게눈 감추듯 해치웠어요. 16

① 후련하게　② 대수로이　③ 까마득히　④ 잽싸게

3）A：어제 대회는 결국 어떻게 됐어요?
B：다들 우수해서 정말 우열을 가리기 힘들었어요. 17

① 백중지세였어요.　② 경국지색이었어요.
③ 천방지축이었어요.　④ 혈혈단신이었어요.

4）A：섣불리 나섰다가 낭패 보는 거 아닌지 모르겠어요.

B：그건 그렇지만 <u>방해나 어려움 때문에 포기하면 안 되죠.</u> 18

① 목 마른 사람이 우물 판다잖아요.

② 같은 값이면 다홍치마라 했어요.

③ 구더기 무서워서 장 못 담그겠어요?

④ 구르는 돌에 이끼 끼겠어요?

問　題

4 （　　）안에 들어갈 말로 가장 알맞은 것을 하나 고르십시오.
(마크시트의 19번~22번을 사용할 것)　〈1点×4問〉

1) 직접 사소한 소품까지 준비하려면 발품(**19**) 팔아야겠는데요?

① 깨나　② 인들　③ 인즉　④ 일랑

2) 학생이 일 년간 책을 한 권도 (**20**) 어디 말이나 됩니까?

① 안 읽었대서야　② 안 읽었다거들랑
③ 안 읽었겠냐마는　④ 안 읽었던지라

3) 마음 먹고 (**21**) 한나절도 안 걸릴 걸요?

① 하고 자시고　② 하는 셈 치고
③ 하기도 하려니와　④ 하기로 들면

4）배가（ **22** ）이젠 쓰리기까지 하네요.

① 고프다기보담은 ② 고프다 못해
③ 고프니 망정이지 ④ 고프건대

5 (　　) 안에 들어갈 말로 알맞지 않은 것을 하나 고르십시오.
(마크시트의 23번~25번을 사용할 것)　〈1点×3問〉

1) 화재가 발생하자 (**23**) 달려온 소방대원들은 필사적으로 물을 뿌리며 불길을 잡았다.

① 득달같이　② 쏜살같이　③ 비수같이　④ 총알같이

2) 시장통에서 북새를 (**24**) 때가 그리워질 때가 있어요.

① 떨던　② 치던　③ 부리던　④ 들던

3) 아무리 욕심이 (**25**) 그 정도면 만족할 거예요.

① 많거니와　② 많은들
③ 많다 해도　④ 많다손 치더라도

6 밑줄 친 부분의 쓰임이 **틀린 것**을 하나 고르십시오.
(마크시트의 26번~27번을 사용할 것) 〈1点×2問〉

1）미치다 26

① 제가 어학 공부에 미친 것은 퇴직하고 나서부터예요.
② 고향 친구들이 미치도록 보고 싶어지기도 해요.
③ 제 마음을 그리도 몰라 주시다니 미칠 지경이에요.
④ 순조로웠던 흐름이 그 한마디 때문에 미쳐 버렸다.

2）늘어지다 27

① 길게 늘어진 커튼 뒤로 달빛이 스며들었다.
② 열심히 노력하더니 실력이 많이 늘어졌네요.
③ 큰일을 치르고 나서인지 온몸이 늘어지네요.
④ 아이가 헤어지기 싫다고 바짓가랑이를 잡고 늘어진다.

問　題

7 밑줄 친 부분의 말과 가장 가까운 뜻으로 쓰인 문장을 하나 고르십시오.

(마크시트의 28번～29번을 사용할 것)　〈2点×2問〉

1) 머리가 길어서 고개를 숙일 때마다 앞으로 쏠린다.　**28**

① 본선 진출의 향방에 국민들의 관심이 쏠리고 있다.
② 그녀가 입을 열자 시선이 그리로 쏠렸다.
③ 무게가 한쪽으로 쏠리면 균형을 잡을 수 없어요.
④ 그는 모두의 의견이 반대편으로 쏠리자 당황했다.

2) 요즘은 전문성을 띠는 일이 아니면 살아남기 힘들어요.
29

① 보수적 성향을 띤 인사들로 구성되었다.
② 그녀는 항상 얼굴에 미소를 띠고 있답니다.
③ 특수한 임무를 띠고 외국으로 파견되었다.
④ 발그스레 홍조를 띤 얼굴이 앳되어 보였다.

8 다음 문장들 중에서 가장 자연스러운 것을 하나 고르십시오.

(마크시트의 30번～32번을 사용할 것) 〈1点×3問〉

1) 30

① 물에 빠진 옷가지를 떠서 돌려주었다.

② 결승점에 못 이르러서 점수를 잡지 못했다.

③ 갑자기 불어온 강풍 때문에 모자가 벗겨졌다.

④ 제가 수수께끼를 하나 낼 테니 맞춰 보세요.

2) 31

① 다섯 시간에 거쳐 진행된 회의였다.

② 세 살 때 이미 한글을 깨친 천재예요.

③ 새로운 사업을 벌리고 판촉 활동을 시작했다.

④ 우리의 두꺼운 우정을 언제까지나 간직하자.

3）　　**32**

① 눈이 높아서 웬만한 남자는 눈에 안 찬대요.
② 아버지의 잔소리에 가슴이 벅차서 일단 나왔어요.
③ 쳐서 먼지 안 나는 사람은 없다잖아요.
④ 이 업계에서는 통뼈가 굵은 사람이에요.

9 (　　) 안에 들어갈 표현으로 가장 알맞은 것을 하나 고르십시오.

(마크시트의 33번～36번을 사용할 것) 〈1点×4問〉

1) A : 신입생 환영회 날짜는 정해졌나요?

B : 새 학기라 그런지 가게들 예약이 꽉 찼네.

A : 안 할 수도 없고 다음 주로 미루면 어떨까요?

B : (**33**)

A : 꼭 이번 주에 하라는 법도 없잖아요.

B : 다음 주는 중간고사에 축제까지 겹치잖아.

① 미안한데 다음 주로 미뤄야 할 것 같아.
② 그럴 수 있다면야 고민 안 하지.
③ 가게 예약이 그날 아니면 안 된대.
④ 다음 달로 날을 다시 잡아야 할 것 같아.

2）A：빨리 내일 회의 준비 해야 하는데 큰일이네.
B：아직 시간도 많은데 뭘 벌써부터 걱정을 하고 그러세요?
A：저녁을 많이 먹어서 그런지 몸이 나른해.
B：（ **34** ）
A：정신 차려야 하는데 몸이 말을 안 듣는구먼.
B：오늘은 그냥 들어가시고 내일 일찍 나와서 하시죠.

① 등 따습고 배 부르면 만사가 귀찮아지긴 하죠.
② 지금 해 봤자 소 잃고 외양간 고치는 격이에요.
③ 이제부터 시작해도 어차피 달걀로 바위 치기예요.
④ 빈대 잡으려다 초가삼간 태우니 그냥 푹 쉬세요.

3）A：진짜 봄이 오긴 한 건지, 요즘 너무 쌀쌀하지 않아요?
B：아무래도 두꺼운 옷 다시 꺼내야 할까 봐요.
A：다음 주부터는 좀 포근해진다던데요.
B：（ **35** ）
A：껴입고 다니셨어야죠.

① 견디기엔 너무나 살을 에이는 듯한 추위예요.
② 이러다 감기 몸살 오는 거 아닌지 모르겠어요.
③ 얇은 옷 때문인지 코감기가 온 것 같아요.
④ 어쩔 수 없이 겨울옷을 다시 꺼냈지 뭐예요.

4）A：표정이 많이 굳어 보이는데 괜찮아?

B：발표 직전엔 꼭 이러네. 저번에도 긴장해서 완전히 망쳤는데.

A：눈 감고도 끄떡 없을 만큼 달달 외워 놓고 무슨 걱정이야.

B：머리 속이 하얘지고 눈앞이 캄캄해지니까 그렇지.

A：（ 36 ）

B：나라고 그러고 싶겠니? 남들 앞에 서면 왜 이리 떨리는지.

① 그러게 평소에 준비 좀 잘하지 그랬어.
② 네 자신을 부각하기 위한 좋은 기회야.
③ 누구나 겪는 자연스런 감정 아닐까?
④ 너처럼 활달하고 대범한 애가 왜 그래?

10 다음 글을 읽고 【물음 1】~【물음 2】에 답하십시오.
(마크시트의 37번~38번을 사용할 것)　〈1点×2問〉

글에는 여러 종류가 있다. 설명문, 논설문도 있고 자서전 같은 기록문도 있다. 그리고 글쓴이의 주관적 정서나 가치를 주로 다루는 시나 소설 같은 문학 작품도 있다. 모든 글은 단어와 문장, 문단으로 구성되어 있는데 그 글에 사용된 단어의 뜻을 정확히 알아야 하고 문장과 문단의 뜻을 잘 파악해 글 전체를 잘 이해해야 한다. 그러나, 문학 작품 읽기는 조금 다른 특성을 가지고 있다.

그 첫 번째 특징은 돌려 말하기이다. 보통 글들은 대개 말하고자 하는 바가 쉽게 드러나도록 직설적으로 말한다. 이에 비해 문학 작품은 비유를 사용하거나 이야기로 만들어서 돌려 말한다. 나들이 가고 싶다고 하면 될 것을, 봄 동산에 팔랑거리는 노랑나비가 되고 싶다고 비유적으로 말한다.

두 번째 특징은 생략이 많다는 점이다. 노랑나비가 되고 싶다면서, 왜 되고 싶은지에 대해서는 설명하지 않는다. 그런가 하면, 콩쥐가 사는 동네가 어떤 곳인지, 흥부의 아이들이 어떻게 생겼는지에 대해서도 말하지 않는다. 따라서 문학 작품을 읽을 때에는 필요에 따라 이런 빈 부분을 스스로 채워가며 읽어야 한다. 이런 점에서 문학 작품 읽기는 글쓴이와 읽는이가 함께 의미를 만들어 가는 일이라고 말할 수 있다.

【물음 1】 이 글의 주제로 알맞은 것을 하나 고르십시오. 37

① 문학 작품의 창작 원리
② 문학 작품의 감상 방법
③ 문학 작품의 요건 확립
④ 문학 작품의 분석 방법

【물음 2】 본문의 내용과 일치하는 것을 하나 고르십시오. 38

① 문학 작품에 표현되지 않은 부분은 상상력으로 채워 가며 읽는다.
② 글의 내용에 대해 스스로 비판하며 읽고 이해한다.
③ 모든 글은 비유적인 표현도 고려해서 읽어야 한다.
④ 문학 작품의 기본적인 내용을 충실하게 파악하며 읽는다.

11 다음 글을 읽고【물음 1】~【물음 2】에 답하십시오.
(마크시트의 39번~40번을 사용할 것) 〈1点×2問〉

요즘 부모들, 특히 어머니들은 자기가 과로하면 했지 가사에 딸들의 도움을 청하지 않는다. 그 때문인지 노동이 신성하다는 것은 교과서에서만 배우고, 실제로 땀 흘려 일하는 경험을 전혀 쌓지 않고 성장하는 젊은이들도 많이 생겼다. 함께 일하는 가운데서 길러지는 공동체 의식을 몸소 습득할 기회가 없어진 것이다.

한편, 옛날의 부모님, 특히 아버지들은 너무 엄했던 까닭에 자녀들이 다가가기 어려웠다. 옛날의 부모에게는 독선의 경향이 있었고, 젊은이의 입장에서 자녀를 이해하려는 노력이 부족했다. 그들이 취했던 방식이 모두 옳다고 생각하지는 않는다. 그러나 인생에 대해서 확고한 신념을 가지고 자신있게 자녀를 가르칠 수 있었던 그들의 태도에는 분명히 본받을 만한 장점이 있다.

오늘날 부모들의 태도에도 좋은 점은 물론 있다. 자녀들의 좋은 친구가 되어 많은 이야기를 나누며 친근해진다. 그러나 중요한 것은 자녀들이 부모를 감성적으로 좋아하도록 가까이 하는 것이 아니라, 그들을 훌륭한 사회인으로 성장시키는 일이다. 이러한 관점에서 교육자로서의 부모의 지혜가 요구된다.

옛것과 새것 중 하나만 택할 필요는 없다. 옛것과 새것의 좋은 점을 아울러 살리는 길을 모색해 보면 어떨까?

【물음 1】 필자의 생각으로 알맞은 것을 하나 고르십시오. 39

① 물질적인 관점에서 가정 교육을 바라보고 있다.
② 상반되는 가정 교육 사이에서 절충적 태도를 보이고 있다.
③ 가정 교육에 대해서 근본적으로 부정적 태도를 보이고 있다.
④ 옛것에 대해 지나치게 관심을 보이고 그리워한다.

【물음 2】 본문의 내용과 일치하는 것을 하나 고르십시오. 40

① 어머니들은 자녀에게 집안일을 시킴으로써 관계가 악화될 수 있다고 생각한다.
② 옛날에는 아버지는 자녀에게 엄하고 어머니는 친근하여 부모 역할의 균형을 이루었다.
③ 젊은이들은 노동의 소중함은 알지만 실제로 체험하지 못하는 경우가 많다.
④ 요즘 부모는 싫은 소리도 지혜롭게 함으로써 자녀들과 좋은 관계를 유지한다.

12 다음 글을 읽고 【물음 1】~【물음 2】에 답하시오.
(마크시트의 41번~42번을 사용할 것)　〈1点×2問〉

[북(北)의 문헌에서 인용]

좌우명이란 늘 자기의 오른쪽에 놓고 마음에 새긴다는 뜻으로서 거울로 삼고 늘 그것에 기초하여 자기 생활을 돌이켜보고 사업과 생활에서 지침으로 삼는다는 것을 의미한다. 이 말은 술독에서 유래되였다고 한다. (A)

중국 춘추시대에 제나라의 환공이 죽자 묘당을 세우고 각종 제사에 쓰는 그릇들을 진렬해놓았는데 그중 하나가 술독이였다. 텅 비여있을 때는 기울어져있다가도 술을 반쯤 담으면 바로섰다가 가득 채우면 다시 엎어지는 술독이였다. (B)

하루는 공자가 제자들과 함께 그 묘당을 찾았는데 박식했던 공자도 그 술독만은 알아볼수 없었다. 담당관리에게 듣고나서야 그는 무릎을 쳤다. (C)

《야! 저것이 그 옛날 환공이 의자 오른쪽에 두고 가득차는 것을 경계했던 바로 그 술독이로구나!》

그는 제자들에게 물을 길어와 그 술독을 채워보도록 하였다. 과연 비스듬히 세워져있던 술독이 물이 차오름에 따라 바로 서더니만 곧바로 다시 기울어지는것이 아닌가. (D)

한동안 생각에 잠겨있던 공자가 말하였다.

《공부도 역시 그렇다. 다 배웠다고 교만을 부리는자는 반드시 화를 당하게 되는법이니라.》

집에 돌아온 그는 똑같은 술독을 만들어와서 의자 오른쪽에 두고는 늘 자신을 돌이켜보곤 하였다고 한다.

【물음 1】 다음 문장이 들어갈 위치로 가장 알맞은 것을 하나 고르십시오. 41

> 환공은 높은 벼슬자리에 있으면서도 자만하지 않고 가득 차면 넘어지는 술독을 의자옆에 두고 반성의 거울로 삼았던것이다.

① (A)　② (B)　③ (C)　④ (D)

【물음 2】 본문의 내용과 일치하지 않는 것을 하나 고르십시오 42

① 공자는 환공과 같은 술독을 곁에 두고 늘 겸손한 마음을 가지도록 노력했다.
② 술독에는 많이 배웠다고 교만하다가는 넘어질 수 있다는 가르침이 담겨 있다.
③ 공자는 환공의 술독을 자신의 집으로 가져와 스스로를 가다듬는 데 사용했다.
④ 환공은 높은 자리에 있음에도 스스로에 대한 경계를 게을리하지 않았다.

問　題

13 다음 문장을 문맥에 맞게 일본어로 번역하십시오. 한자 대신 히라가나로 써도 됩니다.
(마크시트 뒷면의 기술식 해답란을 사용할 것)

〈2点×4問〉

1）다 컸는데 어련히 알아서 잘하려고요.

2）일사천리로 일이 진행되는 걸 보고 내심 쾌재를 불렀다.

3）호락호락하지 않은 팀이니까 만만하게 보지 마.

4）나태한 생활에 빠지지 않도록 스스로를 추스려야 한다.

14 다음 일본어를 문맥에 맞게 번역하십시오. 답은 한 가지만을 한글로 쓰십시오.
(마크시트 뒷면의 기술식 해답란을 사용할 것)

〈2点×4問〉

1）正直者が割りを食う世の中になってほしくありません。

2）至るところくまなく探したが、徒労に終わった。

3）急すぎて支度もそこそこに、あたふたと家を出ました。

4）目上の人に引き立てられたのには、それなりの理由がある。

解　答　（＊白ヌキ数字が正答番号）

듣기와 받아쓰기 문제와 해답

지금부터 1급 듣기와 받아쓰기 시험을 시작하겠습니다. 큰 문제가 모두 8문제입니다. 메모를 하실 경우에는 문제 소책자 메모난에 하십시오. 큰 문제 7번과 8번의 해답은 마크시트 뒷면 기술식 해답란에 쓰십시오. 그럼 시작하겠습니다.

1 문장을 2번 읽겠습니다. 이어서 선택지를 1번 읽겠습니다. 들으신 문장 내용과 일치하는 것을 하나 고르십시오. 다음 문제는 20초 후에 읽겠습니다.

1) 남의 일이라고 그렇게 말하면 쓰나요? 

→ 他人事だからといって、そんな風に言ってはいけません。

① 잘 알지도 못하면서 아는 척 하지 마세요.

→ よく知りもしないで、知っているふりをしないでください。

❷ 자기하고 상관없는 일이라도 말조심해야죠.

→ 自分と関係のないことでも、言葉には気を付けないといけませんよ。

③ 다른 사람 일을 소문내서는 안 돼요.

→ 他の人の噂を立ててはいけません。

④ 자기 일이라도 함부로 이야기하는 건 좋지 않아요.

→ 自分のことでもむやみに話すのはよくないですよ。

2）목구멍이 포도청인데 안 할 수가 있어야죠. **2**

→ 背に腹はかえられないのだから、やるしかないでしょう。

❶ 먹고살아야 하니까 할 수밖에 없었답니다.

→ 生活していかなければならないから、やるしかなかったんです。

② 먹고 싶은 걸 어떻게 참을 수 있었겠어요.

→ 食べたいものを我慢できるわけありませんでした。

③ 겨우 살아가더라도 해서는 안 되는 일이죠.

→ どうにか生きているとしても、やってはいけないことですよ。

④ 목에 칼이 들어와도 어쩔 수 없어요.

→ どのような苦境でも(【直訳：喉に刃物が入っても】)仕方ないです。

Point 問題文にある목구멍이 포도청이다(【直訳：喉が捕盗庁】)は「生活のためには不正を辞さない」というたとえ。안 할 수가 있어야죠は「やるしかないでしょう」という反語表現で할 수밖에 없었어요「やるしかありませんでした」という意味。正答は①。

2 대화문과 선택지를 1번씩 읽겠습니다. 대화를 듣고 다음에 이어질 내용으로 가장 알맞은 것을 하나 고르십시오. 다음 문제는 20초 후에 읽겠습니다.

1）

여：아이가 학원 갈 때만 되면 배가 아프다고 해서요.

남：검사 결과 아무런 이상이 없는 걸로 봐서 심적 문제입니다.

解　答

여：그렇게까지 힘들어하는 줄은 몰랐어요.
남：(3).

[日本語訳]

女：子どもが塾に行く時間になるときまってお腹が痛いと言うもので。
男：検査の結果、なんら異常がないのを見ると、心的な問題です。
女：それほどまでにつらいとは思いませんでした。
男：(3)。

① 진찰을 해 보면 알 수 있겠죠
→ 診察をしてみればわかるでしょう

❷ 너무 부담 주지 마시고 한동안 지켜 보시죠
→ あまり負担を与えないで、しばらく見守ってあげてください

③ 검사 결과가 나오는 대로 연락 드리겠습니다
→ 検査の結果が出しだいご連絡差しあげます

④ 단순한 복통이니 이 약을 식후에 챙겨 드세요
→ 単純な腹痛なので、この薬を食後にちゃんとお飲みください

2)

여：ＴＶ를 고친 지 일주일도 안 됐는데 또 화면이 고르지 못하고 깜빡거려요.
남：죄송합니다. 지금 바로 방문해서 불편을 해결해 드리겠습

니다.
여：그런데 수리비는 또 들어가나요?
남：(4).

[日本語訳]
女：テレビを直してから1週間も経ってないのに、また画面がなめらかじゃなくてチカチカします。
男：申し訳ありません。今すぐお伺いしてご不便を解消いたします。
女：ところで、修理費はまたかかるんでしょうか？
男：(4)。

① 텔레비전을 새로 구입하시는 것이 낫습니다
→ テレビを新たに購入された方がいいです
② 방송을 보는 데는 지장이 없을 겁니다
→ 放送を見るのには支障がないと思います
③ 구입 후 처음이시니까 무상으로 해 드려야죠
→ 購入後、初めてでらっしゃいますので無償でいたします
❹ 당연히 저희 불찰이니 책임을 지고 부담해야죠
→ 当然私どもの不行き届きですので、責任を持って負担いたします

Point 女性は会話で「テレビを直してから一週間も経っていないのに、また修理代を払わないといけないのか」と聞いている。一度直して修理代も払っていることが分かるので、③は誤答。すぐに修理に伺うという男性の会話があるので、①と②も誤答。正答は④。

解　答

3 대화문을 듣고 물음에 답하십시오.

1）대화문과 선택지를 1번 읽겠습니다. 남자의 생각으로 맞는 것을 하나 고르십시오. 다음 문제는 20초 후에 읽겠습니다. **5**

여 : 웬만하면 방 청소 좀 하지, 발 디딜 데도 없고 이게 뭐니?
남 : 왜요? 전 이게 편하고 안정도 되는 걸요.
여 : 책상도 엉망이고, 방바닥은 옷들로 널브러져 있고 정신 사나워서 집중이나 되겠니?
남 : 엄마 눈에는 어질러진 듯 보여도 나름대로 정돈돼 있는 거라고요. 어디에 뭐가 있는지 다 안다니까요.
여 : 정리 잘하는 사람이 성공도 하는 법이라는데, 난 도통 네 생각을 알 수가 없구나.
남 : 전 오히려 책상이 깨끗하면 잡생각이 들거든요. 걱정 마세요. 천재 중에는 정돈이 서툰 사람들이 많았대요.

[日本語訳]
女：少しは部屋を掃除したらどうなの、足の踏み場も無いし、何なのよこれ？
男：どうしてですか？　ぼくはこれが楽だし落ち着くんですよ。
女：机もめちゃくちゃだし、床は服で散らかっているし、気が散って集中できないでしょう。
男：お母さんの目には散らかったように見えても、それなりに整頓されているんですよ。どこに何があるか全部分かっているんですから。

女：整理が上手な人は成功もするというけど、私はまったくお前の考えが分からないよ。

男：ぼくはむしろ机がきれいだと雑念が沸くんですよ。心配しないでください。天才の中には整頓が下手な人が多かったそうですよ。

① 방 청소는 할지언정 책상은 어질러져 있는 편이 안정된다.
→ 部屋の掃除はするといっても、机は散らかっている方が落ち着く。

② 어머니의 생각이 옳다는 것은 알지만 치울 겨를이 없다.
→ お母さんの考えが正しいということは分かっているが、片付ける暇がない。

❸ 정리에 대한 견해는 개인차가 있으므로 큰 문제가 되지 않는다.
→ 整理に対する見解は個人差があるので、大きな問題にはならない。

④ 천재가 되기 위해서는 자신의 생각을 관철시켜야 할 때도 있다.
→ 天才になるためには自分の考えを貫き通さなければならないときもある。

Point 母親は息子の汚い部屋に対して掃除や片づけを勧めるが、息子は部屋の掃除をするつもりが全く無いようで、自分なりに片付いていると主張している。二人の間には片付けに対する見解の差があるだけで大きな問題にならないと息子は考えているので、③が正答。また会話の中で息子は部屋の掃除をすると言っていないので①は誤答。

解　答

2）대화문과 선택지를 1번 읽겠습니다. 여자의 생각으로 맞는 것을 하나 고르십시오. 다음 문제는 20초 후에 읽겠습니다. **6**

여：요즘 ＴＶ를 보면 간접 광고가 정말 많이 나오는 것 같지 않아요?

남：특정 제품을 노출시켜 광고 효과를 노리니까 보기 불편할 때가 많아요.

여：그런가요? 전 오히려 상품 정보도 자연스럽게 알게 되고 좋던데.

남：방송 보는 데 광고가 자꾸 눈에 들어와서 영 거슬려요.

여：옛날에 상표를 흐릿하게 가리거나 해서 답답했던 것보다 낫지 않아요?

남：글쎄요, 방송과 방송 사이에 나오는 일반 광고로도 전 충분하다고 봅니다.

[日本語訳]

女：最近テレビを見ると、間接広告が本当にたくさん出ているなって思いませんか？

男：特定の製品をさらして広告効果を狙っているから、見苦しいときが多いです。

女：そうですか？　私はむしろ、商品の情報も自然に知ることができてよかったですが。

男：放送を見るのに広告が何度も目について、すごく気に障ります。

女：昔はラベルをぼんやり隠したりして、うっとうしかったのよりましじゃないですか？

男：そうですかねえ、放送と放送の間に入る一般の広告でも、私は十分だと思います。

① 간접 광고인데 너무 티가 나게 알리려고 하는 것에 거부감을 느낀다.

→ 間接広告なのに、あまりにもわざとらしく知らせようとするのには抵抗を感じる。

❷ 상품 정보가 시청자들에게 자연스럽게 노출되어 나쁘지 않다.

→ 商品の情報が視聴者に自然とさらされるので悪くない。

③ 방송 중간 중간에 나오는 광고 때문에 집중해서 보기가 힘들다.

→ 放送の合間合間に広告をするため、集中して見ることが難しい。

④ 예전에는 노골적으로 광고 효과를 보려 했던 적이 있었다.

→ 以前は露骨に広告効果を得ようとしたことがあった。

解　答

4 문장을 듣고 물음에 답하십시오.

1）문장과 선택지를 1번 읽겠습니다. 문장의 내용과 일치하는 것을 하나 고르십시오. 다음 문제는 30초 후에 읽겠습니다. **7**

미국의 한 학교에 일주일에 한번 특별한 선생님이 온다. 이름은 코니. 다른 선생님과 다른 점은 네 발로 걷는 것. 고도의 훈련을 받은 학습 보조견이다. 아이들의 마음을 안정시켜 줘 능력을 최대한 끌어내는 역할을 맡고 있다. 평소와 다른 모습을 보이는 아이를 보면 그 옆으로 다가가서 편안함을 느끼게 해 준다. 모두 코니를 좋아하는데, 이런 점이 아이들의 학습 의욕을 더 북돋아 준다. 최근에는 듣고 반응하는 법을 배우는 개도 있어서, 학생들이 책을 읽을 때 호응해 줌으로써 도움을 준다고 한다.

［日本語訳］

アメリカのある学校に１週間に一度、特別な先生が来る。名前はコニー。他の先生と異なる点は、四本足で歩くこと。高度な訓練を受けた学習補助犬だ。子どもたちの心を落ち着かせてやり、能力を最大限引き出す役割を担っている。普段とは違う姿を見せる子どもを見ると、その横に近づいていって、安心感を与えてあげる。みんなコニーが好きで、このような点が子どもたちの学習意欲をさらに高めてくれる。最近では聞いて反応する方法を学ぶ

第52回 解答

犬もいて、学生たちが本を読むときに反応してあげることで、役に立っているという。

① 학습 보조견들은 미국의 여러 학교에 배치되어 그 힘을 발휘하고 있다.

→ 学習補助犬はアメリカの様々な学校に配置され、その力を発揮している。

❷ 동물을 학습에 이용함으로써 학습이나 정서에 도움을 줄 수 있다.

→ 動物を学習に利用することで、学習や情緒に役立てることができる。

③ 학습 보조견은 정서 안정뿐만 아니라 듣기 능력도 향상시켜 준다.

→ 学習補助犬は情緒の安定だけでなく、聞きとり能力も向上させてくれる。

④ 개는 본능적인 친화감으로 인간의 부족한 능력을 메꿀 수 있다.

→ 犬は本能的な親和性で、人間に足りない能力を補うことができる。

Point 学習補助犬が子どもたちの心を落ち着かせてくれたり、学習意欲を高めてくれているので②が正答。聞いて反応する方法を習得している補助犬もいるが、学生の音読に反応してくれているだけで、聞きとり能力を向上させてくれているわけではないので、③は誤答。

解　答

2）문장과 선택지를 1번 읽겠습니다. 문장 내용과 일치하는 것을 하나 고르십시오. 다음 문제는 30초 후에 읽겠습니다.

8

어려운 이웃들에게 특별한 하루를 선물하는 사진관이 있습니다. 매달 신청을 받아 가족사진이나 장수 사진을 촬영하는데요. 그 형식도 독특합니다. 한 번의 촬영비로 다른 사람에게도 혜택이 돌아가는 겁니다. 누가 와서 사진을 한 번 찍으면, 취약 계층에게 무료로 한 번 찍어 주는 거죠. 인근 상점들의 동참으로까지 이어져 재능 기부도 이뤄지고 있습니다. 주변을 따뜻하게 바라보는 사진관 덕분에 사진 찍는 날이 어려운 이웃들에게는 특별한 하루가 되고 있습니다.

[日本語訳]

貧しい隣人たちに特別な一日をプレゼントする写真館があります。毎月申請を受け、家族写真や長寿のお祝いで撮影するのですが、その形式も独特です。一回の撮影費用で他の人にも特典が与えられるのです。誰かが来て写真を一回撮ると、社会的弱者の人たちに無料で一回写真を撮ってあげるのです。近隣の商店の参加にまでつながり、技術ボランティアも実現しています。周りを暖かい目で見つめる写真館のおかげで、写真を撮る日が貧しい隣人たちにとっては特別な一日になっています。

① 사진을 한 번 찍은 사람이 두 번째 찍을 때는 공짜이다.

→ 写真を一回撮った人が二回目に撮るときは無料である。

② 사진관은 지역의 후원을 받아 운영되고 있다.

→ 写真館は地域の後援を受けて運営されている。

❸ 사진관의 봉사 활동이 지역까지 움직이게 했다.

→ 写真館のボランティアが地域まで動かすことになった。

④ 취약 계층들의 재능을 살리는 활동이 이루어지고 있다.

→ 社会的弱者層の才能を活かす活動が実現している。

Point 技術ボランティアなどをとおして、社会的弱者に特典を提供する活動に、近隣地域の商店が参加するまでになるなど、暖かい地域社会が実現しているという内容。正答は③。近隣地域からの技術ボランティア活動が広がりつつあるが、それが社会的弱者の才能を活かす活動にまで至ったとは書かれていないので④は誤答。

5 대화문을 1번 읽겠습니다. 들으신 다음에 【물음1】~【물음2】에 답하십시오. 다음 문제는 60초 후에 읽겠습니다.

남：지난주에 한국 다녀오셨다면서요? 1330관광통역안내전화가 있다는데 써 보셨어요?

여：아, 외국어 관광 정보 안내 말씀하시는 거죠? 편리하긴 한데 해외 전화 요금이 적용돼서 선불리 썼다가는 큰일 나요.

남：얼마 전부터 앱을 다운 받아서 와이파이를 이용하면 통화료가 부과되지 않는대요.

解　答

여 : 진작 들었으면 좋았을 텐데. 괜히 되지도 않는 한국어로 물어보면서 고생고생했거든요.

남 : 1330은 관광 정보뿐만 아니라 불편 신고도 할 수 있고 통역 지원까지 해 준대요.

여 : 그럼 나같은 외국인이 안심하고 언제든지 한국을 방문하는 계기로 이어질 수도 있겠네요.

[日本語訳]

男 : 先週韓国に行ってらっしゃったそうですね。1330観光通訳案内電話があるそうですけど、お使いになってみましたか？

女 : ああ、外国語の観光情報の案内のことですね。便利ではあるんですけど、海外電話の料金が適用されるので、うっかり使うと大変なことになりますよ。

男 : 少し前からアプリをダウンロードしてWi-Fiを利用すると、通話料がかからないそうですよ。

女 : 前もって聞いておけばよかった。うまくもない韓国語で無理して尋ねて、苦労したんですよ。

男 : 1330は観光情報だけじゃなくて、困ったことの相談もできるし、通訳支援までしてくれるそうです。

女 : じゃあ、私みたいな外国人が安心して、いつでも韓国を訪れるきっかけにつながるかもしれませんね。

【물음1】 대화를 통해 알 수 있는 것을 하나 고르십시오. 9

① 여자는 한국어를 전혀 할 줄 모르면서 혼자 여행을 다녀왔다.

→ 女性は韓国語をまったく話せないのに、一人で旅行に行ってきた。

② 와이파이가 있는 곳에서만 이용할 수 있는 관광앱이 개발되었다.

→ Wi-Fiがあるところでのみ利用できる、観光アプリが開発された。

③ 한국 방문 유치를 위해 저렴한 투어 상품이 개발되고 있다.

→ 韓国訪問の誘致のために、安価なツアー商品が開発されている。

❹ 여자는 새로운 정보를 얻지 못한 것에 대해 아쉬워하고 있다.

→ 女性は新しい情報を得ることができなかったことに対し、残念がっている。

Point 会話の中の女性のセリフに되지도 않는 한국어로 물어보면서「うまくもない韓国語で尋ねながら」とある。上手ではないが何とか会話ができる程度であることが分かる。新しい観光アプリ情報を知っていたら下手な韓国語を使うなどの苦労はなかったのに、それを後から知ったことに対する残念さが、会話に表れているので④が正答。

解　答

【물음 2】 대화의 내용과 일치하는 것을 하나 고르십시오. 10

① 여자는 관광정보안내 서비스를 통해 쾌적한 여행을 할 수 있었다.
→ 女性は観光情報案内サービスをとおして快適な旅行をすることができた。

② 여자는 한국어를 조금 할 수 있으므로 통역지원까지는 바라지 않았다.
→ 女性は韓国語が少しできるため、通訳支援までは望んでいなかった。

❸ 남자를 통해 여자는 미처 몰랐던 유용한 정보를 알게 되었다.
→ 男性をとおして、女性は前もって知らなかった有用な情報を知ることになった。

④ 남자는 한국을 여행할 때 관광 안내 앱에 의지하려고 마음 먹었다.
→ 男性は韓国を旅行するとき、観光案内アプリに頼ろうと決心した。

6 문장을 1번 읽겠습니다. 들으신 다음에 【물음 1】~【물음 2】에 답하십시오. 다음 문제는 60초 후에 읽겠습니다.

우리나라 성인 10명 중 4명 꼴로 지난 1년간 단 한 권의 책도 읽지 않은 것으로 조사됐습니다. 독서율이 떨어지는 이유는 여러 가지 있겠지만, 어디서나 휴대가 간편하고 언제든지 정보 검색이 가능한 스마트폰의 영향이 크다고 볼 수 있겠는데요. 스마트폰은 영화, 게임, 채팅 등 다양한 콘텐츠를 쉽게 접할 수는 있지만 소통의 시간을 우리에게서 빼앗아가고 말았습니다. 요즘 지하철이나 버스 안에서 신문이나 책을 읽는 사람을 찾아보기가 힘듭니다. 신문이나 책을 즐겨 보던 이들이 지금은 스마트폰에 시선이 고정되어 있거든요. 책 읽는 즐거움을 되찾는다면 우리의 삶은 더 행복해지지 않을까요? 다양한 독서는 세상을 읽는 지혜와 경륜을 터득할 수 있게 해 줄 것입니다.

[日本語訳]

我が国の成人10名のうち４名の割合で、昨年１年間ただの１冊も本を読まなかったという調査結果が出ました。読書率が落ちている理由は様々あるでしょうが、どこでも携帯が簡便で、いつでも情報の検索が可能なスマートフォンの影響が大きいと思われます。スマートフォンは映画、ゲーム、チャット等、多様なコンテンツに簡単に接することができますが、対話の時間を我々から奪い去ってしまいました。近頃、地下鉄やバスの中で新聞や本を読んでいる人を探すのは難しいです。新聞や本を楽しんでいた人たちが今はスマートフォンに視線が釘付けになっているのです。本を読む楽しみを取り戻せば、我々の人生はさらに幸せになるのではないでしょうか？　多様な読書は世界を読み解く智恵と方策を体得させてくれるでしょう。

解　答

【물음 1】 필자의 생각으로 알맞지 않은 것을 하나 고르십시오. [11]

❶ 스마트폰으로 우리 생활이 편리해진 것은 환영할 만한 일이다.
→ スマートフォンで私たちの生活が便利になったのは歓迎すべきことだ。

② 스마트폰은 사람들간의 의사소통 기회마저 빼앗아갔다.
→ スマートフォンは人々の間の意思疎通の機会まで奪い去った。

③ 스마트폰의 사용으로 신문 구독이나 독서율이 떨어졌다.
→ スマートフォンの使用で新聞購読や読書率が落ちた。

④ 스마트폰의 편리함도 좋지만 독서를 통해 세상을 알아가는 것도 좋다.
→ スマートフォンの便利さもよいが、読書をとおして世界を知っていくこともよい。

【물음 2】 문장의 내용과 일치하는 것을 하나 고르십시오. [12]

① 스마트폰으로 인해 도서 판매율이 떨어져 서점가가 타격을 입고 있다.
→ スマートフォンによって図書の販売率が落ち、書店街が打撃を受けている。

② 정신적인 풍요로움을 위해서 어느 정도의 불편은 감수해야 한다.

→ 精神的な豊かさのために、ある程度の不便さには甘んじなければならない。

③ 정보를 손쉽게 얻기 위해서는 책을 가까이 해야 한다.

→ 情報を手軽に得るためには、本に親しまなければならない。

❹ 스마트폰으로 인해 우리들의 생활 양식이 점점 바뀌고 있다.

→ スマートフォンによって、私たちの生活様式がだんだん変わっている。

7 문장의 일부를 문맥에 맞게 일본어로 번역하는 문제입니다. 2번씩 읽겠습니다. 답을 쓰는 시간은 60초씩입니다. 그럼 시작하겠습니다.

1）다들 ①(발등에 불이 떨어져서) 난리인데 ②(그러거나 말거나) 태평하네요.

→ 皆①(足下に火がついて)大騒ぎなのに、②(そんなの関係なく)のんきですね。

Point -거나 -거나の構成で、二つ以上の事柄のどれを選択してもよいことを表す接続語尾。그러거나 말거나は「先行動作または状況とは関係なく」という意味で使われている。발등에 불이 떨어지다は直訳すると「足の甲に火がつく」つまり「事態が切迫している」という意味で、불똥이 떨어지다とも言う。

解 答

2）그 사람은 ①(입담도 좋을 뿐더러) 성격도 좋고 ②(인심 또한 후해요).

→ その人は①(口達者なだけではなく)、性格も良いし②(情もまた厚いです)。

Point 입담は언변とも言い、「話しぶり、話術」という意味。입담이 좋다「口達者だ、話術が良い」、입담이 세다「口達者だ、話がうまい」もよく使うので、覚えておこう。

3）역사의 ①(한 획을 긋는) 그야말로 ②(뜻깊은 순간이 아닐 수 없었다).

→ 歴史の①(節目となる)、まさに②(意義深い瞬間にほかならなかった)。

Point 획을 긋다は「ある範囲や時期を明確に区別する」という意味の慣用句。ここでは역사의 한 획을 긋다で「歴史の節目となる」と言う意味。

4）그는 ①(서글서글한 눈매와) 웃을 때 ②(쏙 패이는 보조개가) 매력적이다.

→ 彼は①(優しくて人好きのする目と)、笑う時に②(ぺこんとへこむえくぼが)魅力的だ。

Point ②の쏙は「ひどく突き出たりへこんだりしているさま」を表す副詞。쏙 패이는 보조개「ぺこんとへこむえくぼ」。쏙は他にも무를 쏙 뽑아 내다「大根をぐいっと引き抜く」のように「深く突っ込んだり抜き出したりするさま」を表したり、어른들 이야기에 쏙 끼여들다「目上の人の会話に口をはさむ」のように「軽率にでしゃばるさま」を表す場合もある。

8 문장의 일부를 받아쓰는 문제입니다. 2번씩 읽겠습니다. 답을 쓰는 시간은 30초씩입니다. 그럼 시작하겠습니다.

1) ①(별이 잘 드는) 창가에 앉아 있으니 춘곤증이 ②(엄습해 왔다).

→ ①(日当たりのいい)窓際に座っていると、春困症(春の陽気にうとうとすること)が②(襲ってきた)。

2) 그 이야기를 듣고 마음이 ①(심란하기도) 하고 ②(착잡하기도) 했어요.

→ その話を聞いて、心が①(ざわざわも)したし、②(乱れも)しました。

3) 평소엔 ①(데면데면하게) 굴다가 필요할 때만 ②(찰싹 달라붙어) 떨어지질 않는다.

→ 普段は①(よそよそしく)振る舞っていても、必要なときだけ②(べったりとすがりついて)離れない。

Point ①の데면데면하다は「気まずい、他人行儀だ」という意味で、人に対する態度がよそよそしい様を表す形容詞。

4) 마감이 코앞에 ①(들이닥쳤으니) 더 이상 ②(훼방 놓지 말고) 저리 가 있거라.

→ 締切りが目の前に①(差し迫っているから)これ以上②(邪魔しないで)あっちに行っていなさい。

Point ②の훼방〈毀謗〉は「妨害、妨げること」を意味する言葉で、훼방을 놓다で「邪魔する、妨害する」という意味。훼방을 치다とも言う。훼방꾼「邪魔者、妨害者」も覚えておくと良い。

解　答　（＊白ヌキ数字が正答番号）

필기 문제와 해답

1 (　　) 안에 들어갈 말로 가장 알맞은 것을 하나 고르십시오.

1) 상대방 입장도 들어 보지 않고 (1)하기에는 일러요.
→ 相手の立場も確めないで速断するには早いです。

① 성취 → 〈成就〉成就　② 괴리 → 〈乖離〉乖離
❸ 속단 → 〈速断〉速断　④ 고취 → 〈鼓吹〉鼓吹

2) (2)를 많이 해서 입맛이 없는지 통 밥을 안 먹네요.
→ 間食をたくさんして食欲が無いのか、全然ご飯を食べないですねえ。

❶ 주전부리 → 間食　② 마무리 → 仕上げ
③ 갈무리 → 貯蔵　④ 자투리 → 布切れ

Point ①の주전부리は「間食」という意味以外に「(辺り構わずしきりに)間食する癖」という意味もある。주전부리가 심하다「しょっちゅう間食をする」は後者の意味で使われている。③の갈무리は「物をよくしまっておく」という意味があり、②の마무리「仕上げ、締めくくり」と同じ意味として使われることもある。④の자투리は元々は「布切れ」という意味だが、자투리 시간「隙間時間」の意味でよく使う。固有語は漢字語に比べて使用頻度は低い方だが、このように日常でよく使われるもの、別の言葉と合わせて異なる意味を表すものもあるので、意味や使い方をよく把握しておく必要がある。

3）그는（ 3 ）자신에게 주어진 기회를 놓칠까 봐 노심초사했다.

→ 彼はもしや、自分に与えられた機会を逃すかもしれないと気をもんだ。

① 어련히 → 間違いなく
② 누누이 → しきりに
③ 여간 → 並大抵の(〜ではない)
❹ 행여 → ひょっとしたら

Point ④の행여は「もしや、ひょっとしたら」という意味で、행여 잘못되면 어쩌나「もしやだめだったらどうしよう」、행여 도움이 될까 해서「ひょっとしたら役に立つかと思って」、행여 감기 들까 걱정되어「もしや風邪を引くのではないかと心配で」という表現でよく使われる。행여나とも言う。행여나は행여の強調形。①の어련히は、反語的に使われて「間違いなく、確かに」という意味。別に心配しなくてもうまくいくことが明らかであるという意味があり、対象をポジティブに褒める意味を持った副詞である。어련히 알아서 잘 할까 봐요「間違いなくうまく対処するでしょう」のように用いる。②の누누이は「しきりに、何度も」という意味を表す副詞。③の여간は、主に否定の意味を表す言葉と共に使われ、その状態が普通を超えていることを表す。여간이 아니다「並大抵のことではない」、여간내기「ただ者、並の者」も覚えておくと良い。

4）이번 인사는 분위기를（ 4 ）조직 기강을 세운다는 깊은 의미가 있다.

→ 今回の人事は雰囲気を刷新し、組織の秩序を打ち立てるという深い意味がある。

解　答

① 불사하고　→〈不辞-〉辞さず

❷ 쇄신하고　→〈刷新-〉刷新し

③ 부응하고　→〈副應-〉添って

④ 경질하고　→〈更迭-〉更迭し

5）사시사철 직장에 （ 5 ） 몸이라 맘 편히 여행도 못 간답니다.

→ 年中職場に束縛される身なので、気軽に旅行にも行けないんです。

❶ 매인　→ 縛られた　　② 얽힌　→ 絡み合った

③ 고인　→ たまった　　④ 밀린　→ 滞った

Point ①の매이다は매다の受け身形で、柱などに「つながれる、結ばれる」という意味もあるが、人や仕事などに「縛られる、束縛される」という意味でもよく使われる。②の얽히다も「縛られる」と日本語に訳されるので매이다と間違い易いが、얽히다の基本的な訳語は「絡み合う、絡みつく、絡まれる」である。얽히다は-에 얽힌…「～にまつわる…」という表現でもよく使われるので一緒に覚えておこう。

6）그의 （ 6 ） 노랫가락에 청중들은 빠져들고 말았다.

→ 彼の味のある歌の節回しに、聴衆たちは聞き入ってしまった。

① 객쩍은　→ 味気ない　　② 허름한　→ 古びた

③ 심드렁한　→ 気乗りしない　　❹ 구성진　→ しっとりとした

Point ①の객쩍다は行動や言葉、考えなどが「つまらない、味気ない」という意味で실없다（不真面目だ、ふざけている）と言い換えることもできる。③の심드렁하다は興味もなく気に入らないということで「気

乗りしない」という意味。④の구성지다は歌声などに味わいや情味があるという意味で、구성진 노랫소리「しっとりとした歌声、味のある歌声」、구성진 입담「情味のある話術」という形でよく使う。

7) 할 일이 없는 날에는 영화를 빌려다 보며 (7)을 달랜다.

→ することがない日は映画を借りて見て、退屈を紛らわす。

① 담담함 → 淡泊さ　② 난삽함 → 難解さ

❸ 무료함 → 退屈さ　④ 조잡함 → 粗雑さ

Point ①の담담〈淡々〉하다は「落ち着いていて穏やかだ、客観的だ」という意味で、담담한 표정「淡々とした表情」、담담한 필치「淡白な筆致」のような形で使われる。②の난삽〈難澁〉하다は「(文章や言葉がなめらかではなく)難解で分かり難い」、③の무료〈無聊〉하다は「(興味が湧かず)つまらなくて退屈だ」、무료한 시간は「退屈な時間」。

8) (8) 잠든 아기의 얼굴은 마치 천사와도 같아요.

→ すやすやと寝入った赤ちゃんの顔は、まるで天使のようでもあります。

❶ 소록소록 → すやすやと　② 보슬보슬 → しとしとと

③ 너울너울 → ゆらゆらと　④ 뭉게뭉게 → もくもくと

Point ①の소록소록は赤ん坊が安らかに寝入っているさまで「すやすや(と)」という意味。また、雨や雪などがしめやかに降るさまを表して「しとしと(と)」という意味もある。②の보슬보슬は雨や雪が「しとしと(と)、しんしん(と)」降るさまを表して、봄비가 보슬보슬 내린다「春雨がしとしとと降る」のように使う。③の너울너울は波や葉っぱなどが柔らかく揺れるさまで「ゆらゆら、うねうね」、蝶々などが優しく飛んでいるさまで「ひらひら(と)」という意味で使う。파도가

解答

너울너울 몰려온다「波がゆらゆらと押し寄せる」、나비가 너울너울 춤춘다「蝶がひらひらと舞う」。④の뭉게뭉게は雲、煙などが盛んに湧き上がるさまで「むくむく、もくもく」という意味。연기가 뭉게뭉게 솟아오른다「煙がもくもくと立ちのぼる」、구름이 뭉게뭉게 피어오른다「雲がむくむくとわき上がる」のように使う。뭉게구름「積雲、入道雲」も覚えておこう。

9) 그는 난생 처음 낙방이라는 (**9**) 들고는 충격을 받은 듯했다.

→ 彼は生まれて初めて不合格という苦杯をなめ、ショックを受けたようだった。

① 피멍이 → 深い傷が　　❷ 고배를 → 苦杯を
③ 주눅이 → 気後れが　　④ 사례를 → 事例を

Point 四択とも들다と一緒に使われる連語、慣用句。①の피멍이 들다は피멍이 지다とも言い、「(けがをして)青あざができる」、比喩的に「(心に)深い傷ができる」という意味。②の고배를 들다は、고배를 마시다、고배를 맛보다とも言い、失敗や辛い経験などを比喩的に表した慣用句で「苦杯をなめる」という意味。③の주눅이 들다は「いじける、気後れする」という意味。주눅이 좋다で「厚かましい」という意味になる。

10) 경기 시작 3분 만에 슛을 성공시킴으로써 상대편 기선을 (**10**).

→ 競技開始3分でシュートを成功させたことで、相手の機先を制した。

① 접었다 → 折った
② 조였다 → 締めた

③ 집었다 → つまんだ

❹ 잡았다 → 制した【直訳：つかんだ】

Point 問題文の内容から、おそらく受験者の多くが「出端を折る」と訳し、「折る」にあたる①の「접다」を選んだようだ。기선は「機先」という意味で、기선을 꺾다、기선을 잡다、기선을 제하다、기선을 제압하다という表現はすべて「機先を制する」という意味である。기선을 접다という表現はないので①は誤答。正答は④の잡다。

2 (　　) 안에 들어갈 말로 가장 알맞은 것을 하나 고르십시오.

1) 오래간만에 모시는 손님이라 이것저것 (**11**) 한상 차려 봤어요.

→ 久しぶりに迎えるお客さんなので、あれこれと取りそろえて膳を調えてみました。

❶ 구색을 맞춰 → 取りそろえて
② 밑도 끝도 없이 → やぶからぼうに
③ 염불 외듯 → わけのわからないことをつぶやくように
④ 가닥을 잡고 → 糸口をつかんで

2) A：중학교에 들어가더니 말대꾸도 많아진 것 같아요.
B：(**12**) 부모 말도 우습게 여기는 거죠.

→ A：中学校に入ったと思ったら、口答えも多くなったみたいです。
B：大人になったと思って、親の言うことも小ばかにしているんでし

解 答

ょう。

① 오지랖이 넓어서 → 出しゃばって
② 임자를 만났다고 → 好敵手に会ったと思って
❸ 머리가 컸다고 → 大人になったと思って
④ 코가 꿰여서 → 弱点をつかまれ

Point ③の머리가 크다は「大人になる」という意味の慣用句で、まだ幼いと思っていた子どもが大人びたことを言うとき、または生意気なことを言ったときによく使われる表現。④の코가 꿰이다は약점이 잡히다と同じ意味で「弱点をつかまれる、弱点を握られる」。

3) 요즘 같은 어려운 국난의 시기에 우리들은 모두 (**13**) 해야 합니다.

→ 最近のような厳しい国難の時期に、我々は己(おのれ)に克(か)ち、令に復(かえ)らなければなりません。

① 곡학아세 → 〈曲学阿世〉権力にこびへつらうこと
❷ 극기복례 → 〈克己復礼〉自己を抑制し礼儀にのっとること
③ 결초보은 → 〈結草報恩〉死んだ後までも恩に報いること
④ 가렴주구 → 〈苛斂誅求〉厳しく税を取り立てること

Point 正答の②の극기복례〈克己復礼〉は극기복례하다の形で使われるが、縮約表現として극복〈克復〉하다が使われる。

4) A：아무리 어려운 일일지라도 초지일관하면 꼭 이루어질 거예요.

B：(**14**)는 말도 있으니까 포기하지 말아야겠어요.

→ A：どんなに難しいことだとしても、初志貫徹すれば必ず叶うでしょう。
B：水滴りて石を穿つという言葉もあるから、諦めてはいけませんね。

① 우물에 가서 숭늉 찾는다
→ 木によりて魚を求む

② 되로 주고 말로 받는다
→ 他人を困らせると何倍もの報いを受ける【直訳：一升枡で与えて一斗枡で受ける】

③ 칼도 날이 서야 쓴다
→ 実力を発揮できる条件がそろってこそ価値がある【直訳：刃物も刃が鋭くてこそ役に立つ】

❹ 낙숫물이 바위 뚫는다
→ 水滴りて石を穿(うが)つ

3 밑줄 친 부분과 바꾸어 쓸 수 있는 것을 하나 고르십시오.

1）감추고 싶었던 옛날 일까지 <u>들춰내며</u> 놀리는 것이었다.
→ 隠したかった昔のことまで<u>暴き出して</u>からかうのだった。 **15**

① 노닥이며 → しゃべりまくり ❷ 끄집어내며 → 持ち出し
③ 헤아리며 → 推し量り ④ 분기하며 → 奮起し

解　答

2）시장이 반찬이라고 밥 한 그릇을 게눈 감추듯 해치웠어요.

→ 空腹は最高のスパイスだと言って、ご飯一杯を一瞬で【直訳：蟹が目を隠すように】平らげました。 **16**

① 후련하게 → すっきりと　② 대수로이 → 大切に

③ 까마득히 → はるかに　❹ 잽싸게 → 素早く

Point 問題文にある게 눈 감추듯は「瞬く間に、とても素早く」という意味で、瞬く間にぺろりと平らげるさまを表す。③の까마득히は「はるかに、おぼろげに」という意味で、친구의 목소리가 까마득히 멀어진다「友達の声がはるかに遠くなる」、까마득히 옛날에 있었던 일「はるか昔にあったこと」のように使う。また、까마득히 모르고 있었다の形で「すっかり、完全に」という意味でもよく使う。

3）A：어제 대회는 결국 어떻게 됐어요?

B：다들 우수해서 정말 우열을 가리기 힘들었어요. **17**

→ A：昨日の大会は結局どうなったんですか？

B：みんな優秀で、本当に優劣をつけるのが大変でした。

❶ 백중지세였어요.

→〈伯仲之勢-〉優劣の差をつけにくかったです。

② 경국지색이었어요.

→〈傾国之色-〉傾国の美女でした。

③ 천방지축이었어요.

→〈天方地軸-〉あたふたしました。

④ 혈혈단신이었어요.

→〈孑孑單身-〉天涯孤独でした。

第52回　筆記　問題と解答

Point ①の백중지세〈伯仲之勢〉は「優越のつけにくい形勢」、②の경국지색〈傾国之色〉は경성지색〈傾城之色〉とも言い、「傾国の美人」の意。양귀비 같은 경국지색「楊貴妃のような傾国の美人」。③の천방지축〈天方地軸〉は「愚か者が思慮分別なくでたらめにふるまうこと」を表す。천방지축으로 날뛰다「めくらめっぽうくってかかる」。④の혈혈단신〈孑孑單身〉は「頼るところのない孤独な身」という意味。그는 달리 갈 곳도, 가족도 없는 혈혈단신 외돌토리였다.「彼は他に行くところもなければ、家族もいない孤独な独りぼっちだった」。

4）A：섣불리 나섰다가 낭패 보는 거 아닌지 모르겠어요.
B：그건 그렇지만 <u>방해나 어려움 때문에 포기하면 안 되죠.</u> 18

→ A：うかつにでしゃばったら、失敗しないとも限りません。
B：それはそうですが、<u>障害や困難のために諦めてはいけませんよ。</u>

① 목 마른 사람이 우물 판다잖아요.
→ 切実な者が仕事を急ぐと言うじゃないですか。【直訳：喉の渇いた人が井戸を掘ると言うじゃないですか。】

② 같은 값이면 다홍치마라 했어요.
→ 同じ値段なら、よいもの（深紅のチマ）が欲しいと言いました。

❸ 구더기 무서워서 장 못 담그겠어요?
→ 多少の危険があっても、しなければなりませんよ。【直訳：ウジムシが怖くて醤油が仕込めないでしょうか。】

④ 구르는 돌에 이끼 끼겠어요?
→ 継続して努力すれば、成長しますよ。【直訳：転がる石に苔がむすでしょうか。】

解　答

4 (　　) 안에 들어갈 말로 가장 알맞은 것을 하나 고르십시오.

1) 직접 사소한 소품까지 준비하려면 발품(**19**) 팔아야겠는데요?

→ 自分で細かい小道具まで準備しようと思ったら、歩き回る苦労(**19**)しなければならないですよ。

❶ 깨나 → ぐらいは　　② 인들 → だとしても

③ 인즉 → だから　　④ 일랑 → こそは

Point ①の깨나は「ちょっとばかり、ある程度以上の」という意味を表す補助詞で、돈깨나 있어 보이네요「ちょっとばかりお金があるように見えるね」、몸집을 보니 힘깨나 있겠군「体格を見た限りかなりの力がありそうだな」、선물 사느라 돈깨나 썼겠다「プレゼントを買うことでかなりお金を使っただろうね」のような形で使う。②の인들は「~だって、~といっても、~だとしても」という意味で譲歩・反問の意を表す。③の인즉は、-에 대해서 말하자면「~について言うなら」の意味。④の일랑は「-은/는」の意味で使われる。

2) 학생이 일 년간 책을 한 권도 (**20**) 어디 말이나 됩니까?

→ 学生が1年間に本を1冊も(**20**)、ありえないですよね?

❶ 안 읽었대서야 → 読まなかっただなんて

② 안 읽었다거들랑 → 読まなかったならば

③ 안 읽었겠냐마는 → 読まなかったわけはないだろうが

④ 안 읽었던지라 → 読まなかったので

Point ①の-대서야は、-다고 하여서야の縮約形。あることに対して疑問を呈したり、否定的に判断することを表す接続語尾で「～などと言っては、～(だ)なんて」という意味。②の-거들랑は「～すれば、～ならば、～たら、～だったら」という意味。-거든と을랑が結合して作られた語。縮約形は-걸랑。

3) 마음 먹고 (21) 한나절도 안 걸릴 걸요?
→ 本腰を入れて(21)半日もかからないと思いますよ。

① 하고 자시고 → するもなにも
② 하는 셈 치고 → するつもりで
③ 하기도 하려니와 → するにはするが
❹ 하기로 들면 → しようと思ったら

4) 배가 (22) 이젠 쓰리기까지 하네요.
→ お腹が(22)もうちくちくと痛みます。

① 고프다기보담은 → 空いたというよりは
❷ 고프다 못해 → 空いたどころか
③ 고프니 망정이지 → 空いたからよかったものの
④ 고프건대 → 空けば

解答

5 (　　) 안에 들어갈 말로 알맞지 않은 것을 하나 고르십시오.

1) 화재가 발생하자 (23) 달려온 소방대원들은 필사적으로 물을 뿌리며 불길을 잡았다.
→ 火災が発生すると、(23)駆けつけた消防隊員たちは懸命に水をかけ火の手を食い止めた。

① 득달같이 → 直ちに　　② 쏜살같이 → 矢のように
❸ 비수같이 → 短刀のように　　④ 총알같이 → 弾丸のように

Point ③の비수〈匕首〉は「あいくち、短刀」の意味で비수같이は「短刀のように」。그의 말이 비수같이 가슴에 와 꽂혔다「彼の言葉が短刀のように胸に突き刺さった」のような形で使われる。①の득달같이は「じきに、直ちに、すぐさま、間髪を入れず」という意味の副詞。

2) 시장통에서 북새를 (24) 때가 그리워질 때가 있어요.
→ 市場通りで大騒ぎを(24)ころが懐かしくなるときがあります。

① 떨던 → 起こしていた　　② 치던 → 起こしていた
③ 부리던 → 起こしていた　　❹ 들던 → 持っていた

3) 아무리 욕심이 (25) 그 정도면 만족할 거예요.
→ いくら欲が(25)それぐらいあれば満足するでしょう。

❶ 많거니와 → 多いが
② 많은들 → 多くても

③ 많다 해도 → 多いといっても
④ 많다손 치더라도 → 多いといっても

6 밑줄 친 부분의 쓰임이 틀린 것을 하나 고르십시오.

1）미치다 → 狂う **26**

① 제가 어학 공부에 미친 것은 퇴직하고 나서부터예요.
→ わたしが語学の勉強に夢中になったのは、退職してからです。
② 고향 친구들이 미치도록 보고 싶어지기도 해요.
→ 故郷の友達たちがものすごく恋しくなりもします。
③ 제 마음을 그리도 몰라 주시다니 미칠 지경이에요.
→ わたしの気持ちをそんなにもわかってくださらないなんて、気が狂いそうです。
❹ 순조로웠던 흐름이 그 한마디 때문에 미쳐(×) 버렸다→막혀 버렸다/차질이 생겼다(○).
→ 順調だった流れが、その一言のせいで狂ってしまった。

2）늘어지다 → 伸びる **27**

① 길게 늘어진 커튼 뒤로 달빛이 스며들었다.
→ 長く垂れ下がったカーテンの背後に月光が映り込んだ。

解　答

❷ 열심히 노력하더니 실력이 많이 늘어졌네요(×)→늘었네요(○).

一生懸命努力していると思ったら、実力がとても伸びましたね。

③ 큰일을 치르고 나서인지 온몸이 늘어지네요.

→ 大きなことをやり遂げたからか、全身ぐったりですね。

④ 아이가 헤어지기 싫다고 바짓가랑이를 잡고 늘어진다.

→ 子どもが別れるのが嫌だと、ズボンの股下をつかんでぶら下がる。

Point 問題の늘어지다は①時間などが「長引く、延びる」、②疲れて「へたばる、ぐったりする」、③枝、カーテンなどが「垂れる、ぶら下がる」などの意味でよく使われるが、한잠 늘어지게 자고 일어나니 몸이 가뿐하다「ゆっくり一休みしたら体が軽い」のように「楽になる」という意味でもよく使われる。②は실력이 늘어지다ではなく실력이 늘다が正しい。

7 밑줄 친 부분의 말과 가장 가까운 뜻으로 쓰인 문장을 하나 고르십시오.

1) 머리가 길어서 고개를 숙일 때마다 앞으로 쏠린다. **28**

→ 髪が長くて、頭を下げるたびに前に垂れてくる。

① 본선 진출의 향방에 국민들의 관심이 쏠리고 있다.

→ 本選進出への行方に、国民たちの関心が注がれている。

② 그녀가 입을 열자 시선이 그리로 쏠렸다.

→ 彼女が口を開くと、視線がそちらへ集まった。

❸ 무게가 한쪽으로 쏠리면 균형을 잡을 수 없어요.

→ 重さが片方に偏ると、バランスがつかめません。

④ 그는 모두의 의견이 반대편으로 쏠리자 당황했다.

→ 彼はみんなの意見が反対方向に傾くと、慌てふためいた。

2) 요즘은 전문성을 띠는 일이 아니면 살아남기 힘들어요.

→ 最近は専門性を伴う仕事でなければ生き残りが難しいです。 **29**

❶ 보수적 성향을 띤 인사들로 구성되었다.

→ 保守的な気質を帯びた者たちで構成されている。

② 그녀는 항상 얼굴에 미소를 띠고 있답니다.

→ 彼女は常に顔に微笑みを浮かべているんです。

③ 특수한 임무를 띠고 외국으로 파견되었다.

→ 特殊な任務を負って外国に派遣された。

④ 발그스레 홍조를 띤 얼굴이 앳되어 보였다.

→ ほんのりと紅潮した顔が幼く見えた。

解　答

8 다음 문장들 중에서 가장 자연스러운 것을 하나 고르십시오.

1）　　30

① 물에 빠진 옷가지를 떠서(×)→건져서(○) 돌려 주었다.
→ 水に落ちた衣類をすくって返してあげた。

② 결승점에 못 이르러서 점수를 잡지(×)→따지(○) 못했다.
→ 決勝点に及ばず、点数を取れなかった。

❸ 갑자기 불어온 강풍 때문에 모자가 벗겨졌다.
→ 急に吹いてきた強風のせいで、帽子が脱げた。

④ 제가 수수께끼를 하나 낼 테니 맞춰(×)→맞혀(○) 보세요.
→ わたしがなぞなぞを一つ出しますから、当ててみてください。

Point ①の뜨다は、液体などを「汲む、すくう」という意味で、ご飯を「一口食べる」という意味で한술 뜨다という慣用表現がある。건지다は、液体の中からものを「拾い上げる、すくう」という意味があるので물에 빠진 옷가지は건지다との結合が正しい。④の맞추다は「合わせる、一致させる」で퍼즐을 맞추다(パズルを合わせる)、박자를 맞추다(拍子を合わせる)などでよく使う。맞히다は「当てる、言い当てる」という意味で답을 맞히다のように使うのでここでは맞히다が正しい。正答③の벗겨지다は벗어지다と間違いやすいが、벗겨지다は、帽子や靴などが「脱げる」、または、皮や表皮などが「剝ける」のような意味で使われるので모자가 벗겨지다は正しい使い方。벗어지다は、掛けていたものが「外れる、まくれる」などの意味や身体の一

部が「はげる、抜ける」という形で使う。

2) **31**

① 다섯 시간에 거쳐(×)→걸쳐(○) 진행된 회의였다.

→ 5時間にわたって進められた会議だった。

❷ 세 살 때 이미 한글을 깨친 천재예요.

→ 3歳のときすでにハングルを理解した天才です。

③ 새로운 사업을 벌리고(×)→벌이고(○) 판촉 활동을 시작했다.

→ 新たな事業を広げて、販促活動を始めた。

④ 우리의 두꺼운(×)→두터운(○) 우정을 언제까지나 간직하자.

→ わたしたちの厚い友情を、いつまでも大切にしよう。

Point ①の거치다は「経由する、立ち寄る」、걸치다はある時点からある時点まで「かかる、わたる」という意味。②の깨치다は깨우치다と間違えやすいが、깨우치다は「悟らせる」という意味。깨치다は、知らなかったことを「理解する、分かるようになる」という意味で言語を初めて習得する時などによく使う。③の벌리다は「(手足や腕などを)広げる、(袋や口など閉じたものを)開く、開ける、(間隔を)開ける、」の意味で、벌이다は「(仕事などを)始める、着手する、展開する、(宴会や店などを)開く」という意味。④の두껍다と두텁다は両方とも日本語では「厚い」だが、두텁다は「(人情、信仰心などが)深い、固い」という意味で使われる形容詞。

解　答

3）　**32**

❶ 눈이 높아서 웬만한 남자는 눈에 안 찬대요.

→ 目が高くて、そこそこの男性では満足はいかないそうです。

② 아버지의 잔소리에 가슴이 벅차서(×)→답답해서(○) 일단 나왔어요.

→ 父の小言にいらいらして、ひとまず出てきました。

③ 쳐서(×)→털어서(○) 먼지 안 나는 사람은 없다잖아요.

→ 叩いてほこりの出ない人はいないというじゃないですか。

④ 이 업계에서는 통뼈(×)→잔뼈(○)가 굵은 사람이에요.

→ この業界では力の強い人です。

Point ①が正答。②の가슴이 벅차다は「胸がいっぱいだ」という意味で感激した時などに使われる慣用句。③は쳐서ではなく털어서が正しい。털어서 먼지 안 나는 사람 없다「はたいてほこりの出ない人はいない」は「まったく欠点のない人はいない」という意味の諺。치다は「打つ、叩く」という意味。④は통뼈ではなく잔뼈가 굵다が正しい。「(仕事や環境の中で)大きくなっている、成長している」という意味の慣用句。

9 （　　　）안에 들어갈 표현으로 가장 알맞은 것을 하나 고르십시오.

1）A：신입생 환영회 날짜는 정해졌나요?

B：새 학기라 그런지 가게들 예약이 꽉 찼네.

A：안 할 수도 없고 다음 주로 미루면 어떨까요?
B：(33)
A：꼭 이번 주에 하라는 법도 없잖아요.
B：다음 주는 중간고사에 축제까지 겹치잖아.

→ A：新入生歓迎会の日にちは決まりましたか?
B：新学期だからかお店はどこも予約がいっぱいだよ。
A：しないわけにいかないし、来週に延ばしたらどうですか?
B：(33)
A：必ず今週しろというわけでもないじゃないですか。
B：来週は中間試験に学祭まで重なるじゃないか。

① 미안한데 다음 주로 미뤄야 할 것 같아.
→ 悪いけど、来週に延ばさなきゃならなそうだ。

❷ 그럴 수 있다면야 고민 안 하지.
→ そうできさえすれば悩まないよ。

③ 가게 예약이 그날 아니면 안 된대.
→ お店の予約がその日じゃなきゃだめなんだって。

④ 다음 달로 날을 다시 잡아야 할 것 같아.
→ 日取りを来月にしなければならなそうだ。

2) A：빨리 내일 회의 준비 해야 하는데 큰일이네.
B：아직 시간도 많은데 뭘 벌써부터 걱정을 하고 그러세요?
A：저녁을 많이 먹어서 그런지 몸이 나른해.
B：(34)

解　答

A：정신 차려야 하는데 몸이 말을 안 듣는구먼.

B：오늘은 그냥 들어가시고 내일 일찍 나와서 하시죠.

→ A：はやく明日の会議の準備しなきゃいけないのに、大変だ。
　B：まだ時間もたくさんあるのに、何を今から心配されてるんですか？
　A：夕飯をたくさん食べたからか、体がだるいんだ。
　B：（ 34 ）
　A：しっかりしないといけないのに、体が言うこと聞かないなあ。
　B：今日はこのままお帰りになって、明日早く来てなさってくださいよ。

❶ 등 따습고 배 부르면 만사가 귀찮아지긴 하죠.

→ 背中が暖かくてお腹がいっぱいだと、万事が面倒ではあります。

② 지금 해 봤자 소 잃고 외양간 고치는 격이에요.

→ 今やってみたところで、後の祭り【直訳：牛を失って牛小屋を直す】です。

③ 이제부터 시작해도 어차피 달걀로 바위 치기예요.

→ 今から始めてもどうせ勝算はない【直訳：卵で岩を打ちつけること】ですよ。

④ 빈대 잡으려다 초가삼간 태우니 그냥 푹 쉬세요.

→ 過ぎたるは及ばざるがごとしと【直訳：南京虫を捕まえようとして粗末な家を燃やすから】、何もせずゆっくり休んでください。

3）A：진짜 봄이 오긴 한 건지, 요즘 너무 쌀쌀하지 않아요?

B：아무래도 두꺼운 옷 다시 꺼내야 할까 봐요.

A：다음 주부터는 좀 포근해진다던데요.

B：（ 35 ）

A：껴입고 다니셨어야죠.

→ A：本当に春が来たのかどうか、最近すごく肌寒くないですか？
B：やっぱり厚手の服をまた出してこないといけないみたいです。
A：来週からは少し暖かくなると言っていましたよ。
B：（ 35 ）
A：着込んで出かけるべきでしたね。

① 견디기엔 너무나 살을 에이는 듯한 추위예요.
→ 耐えるにはあまりにも身を切るような寒さです。

② 이러다 감기 몸살 오는 거 아닌지 모르겠어요.
→ こうしていたら風邪で調子が悪くなるかもしれません。

❸ 얇은 옷 때문인지 코감기가 온 것 같아요.
→ 薄手の服のためか、鼻風邪になったみたいです。

④ 어쩔 수 없이 겨울옷을 다시 꺼냈지 뭐예요.
→ 仕方なく冬服をまた取り出したんですよ。

Point 最後の女性の会話の껴입고 다니셨어야죠で、すでに鼻風邪になってしまったことと、それに対する残念な気持ちが表れているため②は誤答。

4）A：표정이 많이 굳어 보이는데 괜찮아?
B：발표 직전엔 꼭 이러네. 저번에도 긴장해서 완전히 망쳤는데.
A：눈 감고도 끄떡 없을 만큼 달달 외워 놓고 무슨 걱정이야.
B：머리 속이 하애지고 눈앞이 캄캄해지니까 그렇지.

解答

A：（ 36 ）

B：나라고 그러고 싶겠니? 남들 앞에 서면 왜 이리 떨리는지.

→ A：表情がすごくかたいようだけど、大丈夫？

B：発表の直前は必ずこうなんだよねえ。前も緊張して完全に失敗したんだけど。

A：目をつぶってもなんともないくらいすらすら覚えてるのに、なにが心配なんだ。

B：頭の中が真っ白になって、目の前が真っ暗になるからなんだ。

A：（ 36 ）

B：ぼくだってそうしたくないよ。他人の前に立つとどうしてこんなに震えるんだか。

① 그러게 평소에 준비 좀 잘하지 그랬어.

→ だから、普段準備をちゃんとしておけばよかったのに。

② 네 자신을 부각하기 위한 좋은 기회야.

→ 君自身を目立たせるいい機会だよ。

③ 누구나 겪는 자연스런 감정 아닐까?

→ 誰でも経験する自然な感情じゃないか？

❹ 너처럼 활달하고 대범한 애가 왜 그래?

→ 君みたいに活発で動じないやつがどうしたんだ？

10 다음 글을 읽고【물음 1】~【물음 2】에 답하십시오.

글에는 여러 종류가 있다. 설명문, 논설문도 있고 자서전 같은 기록문도 있다. 그리고 글쓴이의 주관적 정서나 가치를 주로 다루는 시나 소설 같은 문학 작품도 있다. 모든 글은 단어와 문장, 문단으로 구성되어 있는데 그 글에 사용된 단어의 뜻을 정확히 알아야 하고 문장과 문단의 뜻을 잘 파악해 글 전체를 잘 이해해야 한다. 그러나, 문학 작품 읽기는 조금 다른 특성을 가지고 있다.

그 첫 번째 특징은 돌려 말하기이다. 보통 글들은 대개 말하고자 하는 바가 쉽게 드러나도록 직설적으로 말한다. 이에 비해 문학 작품은 비유를 사용하거나 이야기로 만들어서 돌려 말한다. 나들이 가고 싶다고 하면 될 것을, 봄 동산에 팔랑거리는 노랑나비가 되고 싶다고 비유적으로 말한다.

두 번째 특징은 생략이 많다는 점이다. 노랑나비가 되고 싶다면서, 왜 되고 싶은지에 대해서는 설명하지 않는다. 그런가 하면, 콩쥐가 사는 동네가 어떤 곳인지, 흥부의 아이들이 어떻게 생겼는지에 대해서도 말하지 않는다. 따라서 문학 작품을 읽을 때에는 필요에 따라 이런 빈 부분을 스스로 채워가며 읽어야 한다. 이런 점에서 문학 작품 읽기는 글쓴이와 읽는이가 함께 의미를 만들어 가는 일이라고 말할 수 있다.

[日本語訳]

文章には様々な種類がある。説明文、論述文もあるし、自叙伝

解　答

のような記録文もある。そして物書きの主観的な情緒や価値を主に扱う詩や小説のような文学作品もある。全ての文章は単語と文、段落で構成されているが、その文章に使われた単語の意味を正確に知っていなければならないし、文と段落の意味をしっかり把握し、文章全体をよく理解しなければならない。しかし、文学作品を読むことは少し違う特性を持っている。

その最初の特徴は、遠回しに言うことである。普通文章は、たいてい言わんとすることが容易に知られるように、率直に言う。これに対して文学作品は比喩を使用したり、話として作り、遠回しに言う。出かけたいと言えばいいものを、春の丘にひらひらと舞うモンキチョウになりたいと、比喩的に言う。

二つ目の特徴は、省略が多いという点である。モンキチョウになりたいと言いながら、なぜなりたいのかについては、説明しない。そうかと思えば、コンジュイが暮らしている町がどんなところか、フンブの子どもたちはどんな姿格好なのかについても語らない。したがって、文学作品を読むときには必要に応じて、このような空白部分を自ら埋めていきつつ読まなければならない。このような点において、文学作品を読むことは書き手と読み手が共に意味を作り上げていくことだと言うことができる。

【물음 1】 이 글의 주제로 알맞은 것을 하나 고르십시오. 37

① 문학 작품의 창작 원리 → 文学作品の創作原理
❷ 문학 작품의 감상 방법 → 文学作品の鑑賞方法

③ 문학 작품의 요건 확립 → 文学作品の要件確立
④ 문학 작품의 분석 방법 → 文学作品の分析方法

【물음 2】 본문의 내용과 일치하는 것을 하나 고르십시오.

38

❶ 문학 작품에 표현되지 않은 부분은 상상력으로 채워 가며 읽는다.
→ 文学作品に表現されていない部分は想像力で埋めながら読む。
② 글의 내용에 대해 스스로 비판하며 읽고 이해한다.
→ 文章の内容について自ら批判しつつ読み、理解する。
③ 모든 글은 비유적인 표현도 고려해서 읽어야 한다.
→ 全ての文章は比喩的な表現も考慮して読まなければならない。
④ 문학 작품의 기본적인 내용을 충실하게 파악하며 읽는다.
→ 文学作品の基本的な内容を忠実に把握しつつ読む。

11 다음 글을 읽고 【물음 1】~【물음 2】에 답하십시오.

요즘 부모들, 특히 어머니들은 자기가 과로하면 했지 가사에 딸들의 도움을 청하지 않는다. 그 때문인지 노동이 신성하다는 것은 교과서에서만 배우고, 실제로 땀 흘려 일하는 경험을 전혀 쌓지 않고 성장하는 젊은이들도 많이 생겼다. 함께 일하는

解 答

가운데서 길러지는 공동체 의식을 몸소 습득할 기회가 없어진 것이다.

한편, 옛날의 부모님, 특히 아버지들은 너무 엄했던 까닭에 자녀들이 다가가기 어려웠다. 옛날의 부모에게는 독선의 경향이 있었고, 젊은이의 입장에서 자녀를 이해하려는 노력이 부족했다. 그들이 취했던 방식이 모두 옳다고 생각하지는 않는다. 그러나 인생에 대해서 확고한 신념을 가지고 자신있게 자녀를 가르칠 수 있었던 그들의 태도에는 분명히 본받을 만한 장점이 있다.

오늘날 부모들의 태도에도 좋은 점은 물론 있다. 자녀들의 좋은 친구가 되어 많은 이야기를 나누며 친근해진다. 그러나 중요한 것은 자녀들이 부모를 감성적으로 좋아하도록 가까이 하는 것이 아니라, 그들을 훌륭한 사회인으로 성장시키는 일이다. 이러한 관점에서 교육자로서의 부모의 지혜가 요구된다.

옛것과 새것 중 하나만 택할 필요는 없다. 옛것과 새것의 좋은 점을 아울러 살리는 길을 모색해 보면 어떨까?

[日本語訳]

最近の親たち、特に母親たちは自分が疲れこそすれ、家事に娘たちの手を借りることは無い。そのためか、労働が神聖なものだということは教科書で学ぶだけで、実際に汗を流し働く経験をまったく積まずに成長する若者たちも多くなった。共に働くなかで育つ共同体意識を体で習得する機会が無くなったのだ。

一方、昔の親たち、特に父親たちは、あまりにも厳しかったため、子どもたちが近寄りがたかった。昔の親には独善的な傾向があり、若者たちの立場から子どもを理解しようという努力が足りなかった。彼らが取った方式が全て正しいとは思わない。しかし、人生について確固たる信念を持って、自信を持って子どもを教えることができた彼らの態度には、確かに見習うべき長所がある。

今日、親たちの態度にも良い点はもちろんある。子どもたちのよい友になり、たくさん語り合いながら親しくなる。しかし重要なことは、子どもたちが親を感性的に好むように親しくすることではなく、彼らを立派な社会人として成長させることだ。このような観点で教育者としての親の智恵が求められる。

昔のものと新しいもののうち、一つだけ選ぶ必要はない。昔のものと新しいものの良い点を合わせて活かす道を模索してみるのはどうだろうか。

【물음 1】 필자의 생각으로 알맞은 것을 하나 고르십시오. 39

① 물질적인 관점에서 가정 교육을 바라보고 있다.
→ 物質的な観点から家庭教育を眺めている。

❷ 상반되는 가정 교육 사이에서 절충적 태도를 보이고 있다.
→ 相反する家庭教育の間で、折衷的な態度を見せている。

③ 가정 교육에 대해서 근본적으로 부정적 태도를 보이고 있다.
→ 家庭教育に対して根本的に否定的な態度を見せている

解　答

④ 옛것에 대해 지나치게 관심을 보이고 그리워한다.

→ 昔のものに対して、あまりにも関心を示し、恋しがっている。

【물음 2】 본문의 내용과 일치하는 것을 하나 고르십시오. 40

① 어머니들은 자녀에게 집안일을 시킴으로써 관계가 악화될 수 있다고 생각한다.

→ 母親たちは子どもに家事をさせることで、関係が悪化することもあると考えている。

② 옛날에는 아버지는 자녀에게 엄하고 어머니는 친근하여 부모 역할의 균형을 이루었다.

→ 昔は父親は子どもに厳しく、母親は優しく接することで父母の役割のバランスを取っていた。

❸ 젊은이들은 노동의 소중함은 알지만 실제로 체험하지 못하는 경우가 많다.

→ 若者たちは労働の大切さは知っているが、実際に体験することができない場合が多い。

④ 요즘 부모는 싫은 소리도 지혜롭게 함으로써 자녀들과 좋은 관계를 유지한다.

→ 最近の親は小言も賢く言うことで、子どもたちとよい関係を維持している。

12 다음 글을 읽고 【물음１】~【물음２】에 답하시오.

[북(北)의 문헌에서 인용]

좌우명이란 늘 자기의 오른쪽에 놓고 마음에 새긴다는 뜻으로서 거울로 삼고 늘 그것에 기초하여 자기 생활을 돌이켜보고 사업과 생활에서 지침으로 삼는다는 것을 의미한다. 이 말은 술독에서 유래되였다고 한다. (A)

중국 춘추시대에 제나라의 환공이 죽자 묘당을 세우고 각종 제사에 쓰는 그릇들을 진렬해놓았는데 그중 하나가 술독이였다. 텅 비여있을 때는 기울어져있다가도 술을 반쯤 담으면 바로섰다가 가득 채우면 다시 엎어지는 술독이였다. (B)

하루는 공자가 제자들과 함께 그 묘당을 찾았는데 박식했던 공자도 그 술독만은 알아볼수 없었다. 담당관리에게 듣고나서야 그는 무릎을 쳤다. (C)

《야! 저것이 그 옛날 환공이 의자 오른쪽에 두고 가득차는 것을 경계했던 바로 그 술독이로구나!》

그는 제자들에게 물을 길어와 그 술독을 채워보도록 하였다. 과연 비스듬히 세워져있던 술독이 물이 차오름에 따라 바로 서더니만 곧바로 다시 기울어지는것이 아닌가. (D)

한동안 생각에 잠겨있던 공자가 말하였다.

《공부도 역시 그렇다. 다 배웠다고 교만을 부리는자는 반드시 화를 당하게 되는법이니라.》

집에 돌아온 그는 똑같은 술독을 만들어와서 의자 오른쪽에

解　答

두고는 늘 자신을 돌이켜보곤 하였다고 한다.

[日本語訳]

座右の銘とは、常に自分の右側に置いて心に刻むという意味で、鑑（かがみ）として常にそれにもとづいて自分の生活を振り返り、事業と生活において指針にするということを意味する。この言葉は酒甕（さけかめ）に由来しているという。(A)

中国の春秋時代、斉の国の桓公が死ぬや、宗廟を建て各種の祭事に使う器を陳列したのだが、そのうちの一つが酒甕だった。空っぽのときは傾いているが、酒を半分ほど注ぐとまっすぐ立ち、なみなみ満たすと再びひっくり返る酒甕だった。(B)

ある日、孔子が弟子たちとともに、その宗廟を訪ねたのだが、博識だった孔子もその酒甕だけは見分けがつかなかった。担当の管理者に聞いてやっと、彼は膝を打った。(C)

「ああ、あれがその昔桓公が椅子の右側に置いて一杯になるのを警戒していた、まさにあの酒甕なのか！」

彼は弟子たちに水を汲んで来させ、その酒甕を満たしてみるようにした。果たして斜めに立っていた酒甕が、水が満ちてくるにしたがってまっすぐ立ったと思ったら、すぐにまた傾くではないか。(D)

しばらく物思いにふけっていた孔子が言った。

「勉強もやはりそうだ。学び終わったと傲慢にふるまう者は必ず災いに見舞われるものなのだ。」

家に帰ってきた彼は、まったく同じ酒甕を作ってきて椅子の右側に置くと、常に自分自身を振り返っていたという。

【물음 1】 다음 문장이 들어갈 위치로 가장 알맞은 것을 하나 고르십시오. 41

환공은 높은 벼슬자리에 있으면서도 자만하지 않고 가득 차면 넘어지는 술독을 의자옆에 두고 반성의 거울로 삼았던것이다.

→ 桓公は高い官職にありながらもうぬぼれることなく、一杯になると倒れる酒甕を椅子の横に置いて反省の鑑としていたのだ。

① (A)　② (B)　③ (C)　❹ (D)

Point 【問１】の文には孔子が桓公の酒甕から悟ったことが記されている。Ｂではまだ酒甕に対する説明だけで、そこから悟りには至らない。ＣとＤの間の部分が、酒甕が意味するものが何かに対する悟りを開く過程の話になっているので、Ｄが正答。

【물음 2】 본문의 내용과 일치하지 않는 것을 하나 고르십시오. 42

① 공자는 환공과 같은 술독을 곁에 두고 늘 겸손한 마음을 가지도록 노력했다.

→ 孔子は桓公と同じ酒甕を側に置いて、いつも謙遜する心を持つように努力した。

解　答

② 술독에는 많이 배웠다고 교만하다가는 넘어질 수 있다는 가르침이 담겨 있다.

→ 酒甕には、たくさん学んだと傲慢になっていると、倒れることもあるという教えが込められている。

❸ 공자는 환공의 술독을 자신의 집으로 가져와 스스로를 가다듬는 데 사용했다.

→ 孔子は桓公の酒甕を自分の家に持ってきて、自らの心を引き締めるのに使用した。

④ 환공은 높은 자리에 있음에도 스스로에 대한 경계를 게을리하지 않았다.

→ 桓公は高い官職にあるのに、自らにたいする警戒を怠らなかった。

13 다음 문장을 문맥에 맞게 일본어로 번역하십시오. 한자 대신 히라가나로 써도 됩니다.

1）다 컸는데 어련히 알아서 잘하려고요.

→ もう大きいんだし、自分でうまくやると思いますよ。/自分でしっかりやろうと思います。

Point 어련히は、「間違いなく、確かに」という意味。別に心配しなくてもうまくいくことが明らかであるという意味がある。-려고요の-려고は意図を表し「しょうと」という意味。-려고요が어련히と一緒に使われると「間違いなく～だと思いますよ」のように確信をある推測表現になる。

2) 일사천리로 일이 진행되는 걸 보고 내심 쾌재를 불렀다.

→ 物事が一気に進むのを見て、心の中で快哉(かいさい)を叫んだ。

3) 호락호락하지 않은 팀이니까 만만하게 보지 마.

→ 手強いチームだから、甘く見るなよ。

Point 호락호락하다は「(性格が)甘い、いいかげんだ、くみしやすい」という意味だが、호락호락という副詞で「たやすく、簡単に、おいそれと」という意味でもよく使われるので覚えておこう。

4) 나태한 생활에 빠지지 않도록 스스로를 추스려야 한다.

→ 怠惰な生活に溺れないように、自らを律するべきだ。

14 다음 일본어를 문맥에 맞게 번역하십시오. 답은 한 가지만을 한글로 쓰십시오.

1) 正直者が割りを食う世の中になってほしくありません。

→ 정직한 사람이 손해를 보는 세상이 되지 않기를 바래요.

2) 至るところくまなく探したが、徒労に終わった。

→ 여기저기 샅샅이 다 뒤졌지만, 헛수고로 끝났다.

3) 急すぎて支度もそこそこに、あたふたと家を出ました。

→ 너무 갑작스러워서 준비도 대충 하고 부랴부랴 집을 나왔어요.

解　答

Point 「そこそこ」は数量を表す言葉と一緒に使われると、「二十歳そこそこ」스무 살 안팎のように안팎と訳すが、「－に」が付いた「ほどほどに、適当に」という副詞の形になると대충、적당히と訳す。

4）目上の人に引き立てられたのには、それなりの理由がある。

→ 윗사람들 눈에 든 데에는 그 나름대로의 이유가 있다.

Point 「引き立てられる」は「愛情が注がれる、目をかけられる、可愛がられる」と同じ意味なので、韓国・朝鮮語に訳す場合「気に入る」にあたる눈에 들다または마음에 들다を使って訳せばよい。反対表現の눈에 나다、눈 밖에 나다「嫌われる」も覚えておこう。

正答と配点

1級聞きとり・書きとり 正答と配点

●40点満点

問題	設問	マークシート番号	正　答	配　点
1	1)	1	②	2
	2)	2	①	2
2	1)	3	②	2
	2)	4	④	2
3	1)	5	③	2
	2)	6	②	2
4	1)	7	②	2
	2)	8	③	2
5	【물음1】	9	④	2
	【물음2】	10	③	2
6	【물음1】	11	①	2
	【물음2】	12	④	2
7	1)①、②	記　述　式		2
	2)①、②			2
	3)①、②			2
	4)①、②			2
8	1)①、②	記　述　式		2
	2)①、②			2
	3)①、②			2
	4)①、②			2
合計	20			40

1級筆記　正答と配点

●60点満点

問題	設問	マークシート番号	正答	配点
1	1)	1	③	1
	2)	2	①	1
	3)	3	④	1
	4)	4	②	1
	5)	5	①	1
	6)	6	④	1
	7)	7	③	1
	8)	8	①	1
	9)	9	②	1
	10)	10	④	1
2	1)	11	①	1
	2)	12	③	1
	3)	13	②	1
	4)	14	④	1
3	1)	15	②	1
	2)	16	④	1
	3)	17	①	1
	4)	18	③	1
4	1)	19	①	1
	2)	20	①	1
	3)	21	④	1
	4)	22	②	1
5	1)	23	③	1
	2)	24	④	1
	3)	25	①	1

問題	設問	マークシート番号	正答	配点
6	1)	26	④	1
	2)	27	②	1
7	1)	28	③	2
	2)	29	①	2
8	1)	30	③	1
	2)	31	②	1
	3)	32	①	1
9	1)	33	②	1
	2)	34	①	1
	3)	35	③	1
	4)	36	④	1
10	【물음1】	37	②	1
	【물음2】	38	①	1
11	【물음1】	39	②	1
	【물음2】	40	③	1
12	【물음1】	41	④	1
	【물음2】	42	③	1
13	1)	記　述　式		2
	2)			2
	3)			2
	4)			2
14	1)	記　述　式		2
	2)			2
	3)			2
	4)			2
合計	50			60

〈1급 2차면접시험 과제문〉

색으로 보는 성격

옷차림에서 나타나는 색의 취향은 그 사람의 성격이나 이상을 표현하는 경우가 많다.

빨간색을 좋아하는 사람은 적극적이고 정열적인 성격이다. 야심이 강해서 현재 위치보다 위로 올라가고 싶어 하며 과감하게 이를 실행할 줄 안다. 연애에 관해서도 적극적이거나 감정 기복도 심한 편이며 다른 사람에게 강압적인 일면도 있다.

파란색을 좋아하는 사람은 자제심이 강하고 차분하며 지적으로 행동하는 경우가 많다. 감정적으로 변하는 일을 피하기 위해서 연애에 관해서는 신중한 타입이다.

흰색을 좋아하는 사람은 순수하고 성실하며 다소 결벽성이 있는 타입이다. 타협을 싫어하고 노력을 아끼지 않는 한편, 고지식하고 완고한 일면도 가지고 있다.

갈색을 좋아하는 사람은 언뜻 보기에는 수수하지만 굳은 의지를 가진 사람들이 많다. 책임감이 강하고 다른 사람을 잘 돌봐 주며 믿음직스러운 점도 있다.

녹색을 좋아하는 사람은 온화하고 성실한 사람이 많으며 어떤 일에 한번 몰두하면 변화를 추구하기보다는 꾸준히 계속하는 타입이다.

검정색을 좋아하는 사람은 지적이고 세련된 품위가 있으며

問 題

속물처럼 보이는 일을 싫어하고 조금 까다로운 측면도 있다.

물론 좋아하는 색깔과 성격이 일치하지 않는 경우도 있는데 그 경우는 대개 그 색이 가진 이미지를 동경하고 있는 것으로도 볼 수 있다.

[1級2次面接試験　課題文　日本語訳]

色でみる性格

服装に現れる色の好みは、その人の性格や理想を表す場合が多い。

赤い色を好む人は積極的で情熱的な性格だ。野心が強く、現在の位置より上へ上がりたがり、果敢にこれを実行することができる。恋愛に関しても積極的であったり感情の起伏が激しい方で、他の人に対して強引な一面もある。

青い色を好む人は自制心が強く落ち着いていて、知的に行動する場合が多い。感情的になることを避けるために、恋愛に関しては慎重なタイプだ。

白い色を好む人は純粋で誠実であり、多少潔癖症なところがあるタイプだ。妥協を嫌い、努力を惜しまない一方、意固地で頑固な一面も持っている。

茶色を好む人は一見質素だが、確固たる意志を持つ人が多い。責任感が強くて面倒見がよく、頼りがいのある面もある。

緑色を好む人は温和で誠実な人が多く、一度ある事に没頭したら、変化を追求するよりは地道に継続するタイプだ。

黒い色を好む人は知的で洗練された品があり、俗物のように見えることを嫌い、少し気難しい側面もある。

もちろん好きな色と性格が一致しない場合もあるが、その場合

翻　訳

は総じて、その色の持っているイメージに憧れているものと考えられる。

1級

聞・書　20問/30分
筆　記　50問/80分

2019年 秋季 第53回
「ハングル」能力検定試験

【試験前の注意事項】

1） 監督の指示があるまで、問題冊子を開いてはいけません。
2） 聞きとり試験中に筆記試験の問題部分を見ることは不正行為となるので、充分ご注意ください。
3） この問題冊子は試験終了後に持ち帰ってください。
　マークシートを教室外に持ち出した場合、試験は無効となります。

※CD3などの番号はCDのトラックナンバーです。

【マークシート記入時の注意事項】

1） マークシートへの記入は「記入例」を参照し、ＨＢ以上の黒鉛筆またはシャープペンシルではっきりとマークしてください。ボールペンやサインペンは使用できません。
　訂正する場合、消しゴムで丁寧に消してください。
2） 解答は、オモテ面のマークシートの記入欄とウラ面の記述式解答欄に記入してください。
　記述式解答をハングルで書く場合は、南北いずれかのつづりに統一されていれば良いものとします。二重解答は減点される場合があります。
3） 氏名、受験地、受験地コード、受験番号、生まれ月日は、オモテ・ウラもれのないよう正しくマークし、記入してください。
4） マークシートにメモをしてはいけません。メモをする場合は、この問題冊子にしてください。
5） マークシートを汚したり、折り曲げたりしないでください。

※試験の解答速報は、11月10日の試験終了後、協会公式ＨＰにて公開します。
※試験結果や採点について、お電話でのお問い合わせにはお答えできません。

◆次回 2020年 春季 第54回検定：6月7日（日）実施◆

第53回 マークシート

「ハングル」能力検定試験

個人情報欄 ※必ずご記入ください

受験級

1 級 ···· ●

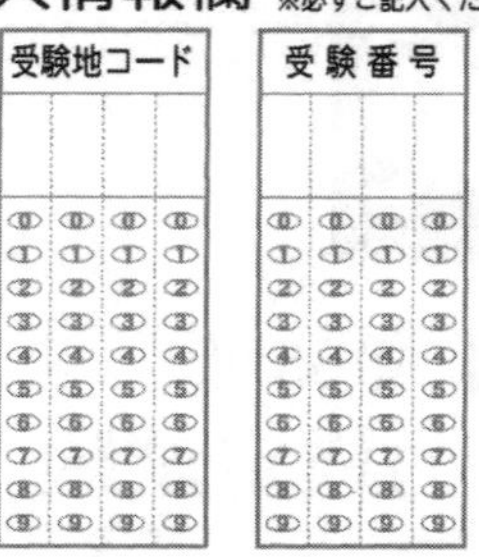

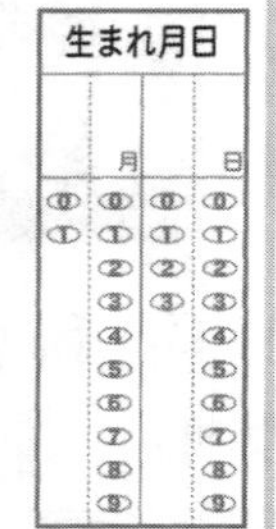

（記入心得）
1．ＨＢ以上の黒鉛筆またはシャープペンシルを使用してください。（ボールペン・マジックは使用不可）
2．訂正するときは、消しゴムで完全に消してください。
3．枠からはみ出さないように、ていねいに塗りつぶしてください。

（記入例）解答が「1」の場合

良い例 ● ② ③ ④

悪い例 レ点 線 バッテン 点 うすい

聞きとり

1	①	②	③	④	5	①	②	③	④	9	①	②	③	④
2	①	②	③	④	6	①	②	③	④	10	①	②	③	④
3	①	②	③	④	7	①	②	③	④	11	①	②	③	④
4	①	②	③	④	8	①	②	③	④	12	①	②	③	④

※記述式解答は裏面に記入してください。

筆　記

1	①	②	③	④	15	①	②	③	④	29	①	②	③	④
2	①	②	③	④	16	①	②	③	④	30	①	②	③	④
3	①	②	③	④	17	①	②	③	④	31	①	②	③	④
4	①	②	③	④	18	①	②	③	④	32	①	②	③	④
5	①	②	③	④	19	①	②	③	④	33	①	②	③	④
6	①	②	③	④	20	①	②	③	④	34	①	②	③	④
7	①	②	③	④	21	①	②	③	④	35	①	②	③	④
8	①	②	③	④	22	①	②	③	④	36	①	②	③	④
9	①	②	③	④	23	①	②	③	④	37	①	②	③	④
10	①	②	③	④	24	①	②	③	④	38	①	②	③	④
11	①	②	③	④	25	①	②	③	④	39	①	②	③	④
12	①	②	③	④	26	①	②	③	④	40	①	②	③	④
13	①	②	③	④	27	①	②	③	④	41	①	②	③	④
14	①	②	③	④	28	①	②	③	④	42	①	②	③	④

※記述式解答は裏面に記入してください。

K13227T 110kg

ハングル能力検定協会

マークシート

個人情報欄 ※必ずご記入ください

受験級	受験地コード	受験番号	生まれ月日
1　級			月　日

氏名	見本
受験地	

聞きとり・書きとり記述式解答欄 ※印は協会使用欄

7　得点

		※
1)	①	
	②	
2)	①	
	②	
3)	①	
	②	
4)	①	
	②	

8　得点

		※
1)	①	
	②	
2)	①	
	②	
3)	①	
	②	
4)	①	
	②	

筆記記述式解答欄 ※印は協会使用欄

13　得点

		※
1)		
2)		
3)		
4)		

14　得点

		※
1)		
2)		
3)		
4)		

ハングル能力検定協会

듣기와 받아쓰기 문제

CD34

1 들으신 문장 내용과 일치하는 것을 하나 고르십시오.
(마크시트의 1번～2번을 사용할 것) 〈2点×2問〉

CD35

1） ________________ 1

① ________________
② ________________
③ ________________
④ ________________

CD36

2） ________________ 2

① ________________
② ________________
③ ________________
④ ________________

問　題

CD37

2

대화를 듣고 다음에 이어질 내용으로 가장 알맞은 것을 하나 고르십시오.
(마크시트의 3 번～4 번을 사용할 것)　〈2点×2問〉

CD38

1）여：________________

____

남：________________

____

여：________________

____

남：（　　3　　）

①________________

②________________

③________________

④________________

CD39

2）남：

여：

남：

여：（ 4 ）

①

②

③

④

問　題

CD40

3 대화문을 듣고 물음에 답하십시오.
(마크시트의 5번～6번을 사용할 것)　〈2点×2問〉

CD41

1) 여자의 주장으로 맞는 것을 하나 고르십시오. **5**

남 : ________________________________

여 : ________________________________

____

남 : ________________________________

____

여 : ________________________________

____

남 : ________________________________

____

여 : ________________________________

① ________________________________

② ________________________________

③ ________________________________

④ ________________________________

CD43

2) 여자의 주장으로 맞는 것을 하나 고르십시오. 6

여 : ________________

남 : ________________

____

여 : ________________

____

남 : ________________

여 : ________________

____

남 : ________________

____

① ________________

② ________________

③ ________________

④ ________________

問　題

CD45

4

문장을 듣고 물음에 답하십시오.
(마크시트의 7번～8번을 사용할 것)　〈2点×2問〉

CD46

1）문장의 요지로 가장 알맞은 것을 하나 고르십시오.　**7**

①

②

③

④

CD48

2）문장의 내용과 일치하는 것을 하나 고르십시오. 8

①

②

③

④

問 題

CD50

대화문을 들으신 다음에【물음 1】～【물음 2】에 답하십시오.

(마크시트의 9번～10번을 사용할 것)　　〈2点×2問〉

CD51

여 :

남 :

여 :

남 :

여 :

남 :

【물음 1】 대화의 내용과 일치하지 않는 것을 하나 고르십시오.

9

① 복원 전문가는 상한 유물을 치료하는 의사라고 할 수 있다.
② 유물이 복원된 후의 상태는 원래 모습과 같아야 한다.
③ 제대로 복원하려면 소재에 대해서도 정확히 이해해야 한다.
④ 손상된 부분을 다시 그리거나 수정하는 것은 복원이라 할 수 없다.

【물음 2】 김 박사의 주장으로 맞는 것을 하나 고르십시오.

10

① 복원시 작품이 지녀 온 역사나 흔적을 변형시켜서는 안 된다.
② 유물 복원에서 중요한 것은 창작 당시 모습으로 되돌리는 것이다.
③ 복원 전문가를 의사에 비유하는 것은 무리가 있다.
④ 복원을 할 때는 과학성과 예술성을 동시에 고려해야 한다.

問　題

CD52

6 문장을 들으신 다음에 【물음１】～【물음２】에 답하십시오.
(마크시트의 11번～12번을 사용할 것)　〈2点×2問〉

CD53

第53回 問題

【물음 1】 글쓴이가 말하는 '각지지 않은 것'으로 맞는 것을 하나 고르십시오. 11

① 남이 잘되는 것을 시기하고 원망하는 마음
② 사사로운 감정으로 시비를 가리려는 마음
③ 상대의 입장에서 헤아리는 마음
④ 맹목적으로 뜨겁게 사랑하는 마음

【물음 2】 문장의 내용과 일치하지 않는 것을 하나 고르십시오. 12

① 말실수 때문에 상대방과 관계가 끊긴 적이 있다.
② 자기가 한 말이 후회되는 경우가 적지 않다.
③ 말은 험하거나 거칠지 않은 것이 좋다.
④ 오래 살았다고 해서 말실수가 적어지는 것은 아니다.

問　題

CD54

문장의 일부를 문맥에 맞게 일본어로 번역하십시오. 답은 한 가지만을 쓰십시오. 한자 대신 히라가나로 써도 됩니다.
(마크시트 뒷면의 기술식 해답란을 사용할 것)

〈2点×4問〉

CD55

1）（　日本語訳①　）결국（　日本語訳②　）

CD56

2）（　日本語訳①　）일자리까지 잃게 돼（　日本語訳②　）

CD57

3）（　日本語訳①　）는 지시가 있었지만（　日本語訳②　）견디기 힘들었다.

CD58

4）（　日本語訳①　）그가 왠지（　日本語訳②　）

CD59

8 문장의 일부를 한글로 받아쓰십시오.
(마크시트 뒷면의 기술식 해답란을 사용할 것)

〈2点×4問〉

CD60

1）사람들은 그 의원의 사생활이 (　**받아쓰기①**　)는 인상을 (　**받아쓰기②**　).

CD61

2）딸의 얼굴을 (　**받아쓰기①**　) 바라보던 그의 뺨 위로 (　**받아쓰기②**　) 눈물이 흘렀다.

CD62

3）(　**받아쓰기①**　) 문제들에 휘둘리지 말고 (　**받아쓰기②**　) 태도로 임해라.

CD63

4）뭐가 (　**받아쓰기①**　) 상사가 (　**받아쓰기②**　) 말했다.

필기 문제

1

(　　　) 안에 들어갈 말로 가장 알맞은 것을 하나 고르십시오.
(마크시트의 1번～10번을 사용할 것)　　　〈1点×10問〉

1) 어디에 가든 그 곳의 (1)를/을 깨지 않도록 주의해야 해요.

① 금기　　② 귀천　　③ 취향　　④ 멸시

2) 별것도 아닌 일에 (2)를/을 부리면서 문을 쾅 닫고 나가 버렸다.

① 엄살　　② 끼　　③ 성깔　　④ 늑장

3) (3) 있는 일이었지만 그날따라 유난히 신경에 거슬렸다.

① 여간　　② 지레　　③ 정녕　　④ 노상

4）원래 학문이나 공부는 고통을 （ **4** ）지루한 것이라는 이미지가 있어요.

① 득달하는　② 지목하는　③ 도모하는　④ 수반하는

5）장학금 덕분에 내 돈은 한 푼도 （ **5** ）않고 유학을 가게 됐어요.

① 휘갈기지　② 축내지　③ 설치지　④ 물려주지

6）동창생들을 만나 간만에 （ **6** ）시간을 가졌다.

① 오붓한　② 거룩한　③ 나긋한　④ 멀쑥한

7）공연 일정이 （ **7** ）휴일도 없이 연습을 계속해야겠습니다.

① 조촐해서　② 촉박해서　③ 장황해서　④ 출출해서

8）잔디밭엔 새싹이 （ **8** ）돋아나기 시작했다.

① 주룩주룩　② 말랑말랑　③ 파릇파릇　④ 푸석푸석

問　題

9）먼동이 （ **9** ） 시작할 무렵 바람 소리에 놀라 잠이 깼다.

① 오르기　② 솟기　③ 뜨기　④ 트기

10）열광적인 응원단이 세계인의 눈길을 （ **10** ）.

① 사로잡았다　② 뺐다
③ 들였다　④ 넘겨다보았다

2 （　　）안에 들어갈 말로 가장 알맞은 것을 하나 고르십시오.
（마크시트의 11번～14번을 사용할 것）　〈1点×4問〉

1）화통을 삶아 먹었는지 하도 크게 말해서（ **11** ）줄 알았다.

① 몽니 부리는　② 주접 떠는
③ 코 베이는　④ 귀청 떨어지는

2）예전에는（ **12** ）셌는데 요즘은 기가 많이 죽은 것 같다.

① 끗발이　② 팔자가　③ 집착이　④ 심보가

3）아무리 자식이 귀하다고 그런 일까지 다 해 주면 어떡해요?（ **13** ）이라잖아요.

① 갑론을박　② 애걸복걸　③ 과유불급　④ 주마간산

4）（ 14 ），최근에 중소형 오피스텔의 인기는 폭증했지만 실제로 거래가 성사되는 경우는 별로 없다고 한다.

① 가지 많은 나무 바람 잘 날 없다고
② 소문난 잔칫집에 먹을 게 없다고
③ 평안 감사도 저 싫으면 그만이라고
④ 뱁새가 황새를 따라가면 다리가 찢어진다고

3 밑줄 친 부분과 바꾸어 쓸 수 있는 것을 하나 고르십시오.
(마크시트의 15번～18번을 사용할 것) 〈1点×4問〉

1）이제 계좌를 개설하는 절차가 대충 마무리된 것 같아요. **15**

① 일체 ② 얼추 ③ 무릇 ④ 시나브로

2）일자리를 잃을까 두려워서 상사에게 말 한마디도 제대로 못 했다. **16**

① 몰매를 맞을까 ② 배앓이를 할까
③ 밥줄이 끊어질까 ④ 목이 멜까

3）귀찮은 일에 얽히지 않으려고 몸을 사리는 태도를 보이는 경우가 많았다. **17**

① 복지부동의 ② 학수고대의
③ 비일비재의 ④ 혈혈단신의

問 題

4）결국 올림픽 선수가 됐다며？ 어렸을 때부터 남다른 구석이 있었다니까. 18

① 될성부른 나무는 떡잎부터 알아본다니까
② 빈 수레가 요란하다니까
③ 모난 돌이 정 맞는다니까
④ 핑계 없는 무덤 없다니까

4 (　　) 안에 들어갈 말로 가장 알맞은 것을 하나 고르십시오.
(마크시트의 19번～22번을 사용할 것)　〈1点×4問〉

1) 설마 도산하지는 않을 테니까 쓸데없는 염려(**19**) 하지 마세요.

① 마따나　② 나마　③ 커녕　④ 일랑

2) 나이 사십줄이 넘어서 이런 수모를 다 겪다니 이게 무슨 (**20**).

① 꼴이라니까는　② 꼴이람
③ 꼴일라나　④ 꼴이겠구먼

3) 살갑게 굴지는 (**21**) 퉁명스럽게 대하지는 말아야지.

① 못할망정　② 못하는 셈 치고
③ 못하느니만치　④ 못할라 치고

4）우두커니 앉아만 있다 오려면（ **22** ）

① 안 가느니만 못하죠.　② 안 가고도 남아요.
③ 안 가도 너무 안 가요.　④ 안 간달 게 있어요?

5 (　　) 안에 들어갈 말로 알맞지 않은 것을 하나 고르십시오.
(마크시트의 23번～25번을 사용할 것)　〈1点×3問〉

1) 너무도 오래된 일이라 기억이 (**23**) 상태입니다.

① 아련한　② 어수룩한　③ 아리송한　④ 어렴풋한

2) 불이라도 났는지, 건너편에서 사람들이 (**24**)을 떨고 있다.

① 기승　② 수선　③ 부산　④ 법석

3) (**25**) 안 들어 줄 수가 없었다.

① 어찌나 졸라대는지　② 하도 간청하는 바람에
③ 떼를 쓰고 투정하는데　④ 누가 보챈달까 봐서

6 밑줄 친 부분의 쓰임이 **틀린 것**을 하나 고르십시오.
(마크시트의 26번~27번을 사용할 것)　〈1点×2問〉

1）누르다　**26**

① 어머니는 항상 밥을 꾹꾹 눌러 담아 주셨다.
② 당분간 친구 집에 눌러 살기로 했어요.
③ 가장 중요한 내용을 눌러 놓아야겠어요.
④ 상대 후보를 근소한 차이로 누르고 의원에 당선됐다.

2）붙다　**27**

① 내향적이던 아들이 애인이 생기니까 자신감이 붙은 것 같아요.
② 걔가 별로 공부도 안 하면서 대학에 붙었대.
③ 집에만 붙어 있지 말고 어디 좀 나갔다 와.
④ 바지에 얼룩이 붙어서 좀처럼 지워지지 않는다.

7 밑줄 친 부분의 말과 가장 가까운 뜻으로 쓰인 문장을 하나 고르십시오.

(마크시트의 28번～29번을 사용할 것) 〈2点×2問〉

1) 자리가 자리이다 보니 점잔을 뺄 수밖에 없었어요. **28**

① 이 경기가 무슨 결승전이라고 그렇게 힘 빼고 있어?
② 평소와 달리 얌전을 빼는 모습이 눈꼴사나웠다.
③ 넌 목소리까지 제 아버지를 쏙 뺐구먼.
④ 무슨 좋은 일이라도 있는지 새 옷을 쫙 빼 입고 나갔다.

2) 아무리 급해도 그렇지 예의는 차려야지요. **29**

① 체면이라도 차리느라고 밥을 조금만 먹었더니 배고파요.
② 아침은 다 차렸으니까 얼른 세수하고 와.
③ 도심을 벗어난 곳에 신혼 살림을 차리고 산대요.
④ 제 욕심만 차리려는 개가 밉살맞기 그지없었어요.

8 다음 문장들 중에서 가장 자연스러운 것을 하나 고르십시오.
(마크시트의 30번～32번을 사용할 것) 〈1点×3問〉

1) 30

① 올해부터 술집하고는 발을 끊고 가정에 충실하기로 했다.
② 권세나 잡은 듯이 허세를 펴는 형세가 꼴불견이었다.
③ 내 말을 듣고 안달이 돼서 혼자 가겠다고 우기더라.
④ 네가 내 편을 잡아 줬으니 망정이지 완전히 사면초가였어.

2) 31

① 하필 등산을 온 김에 주변 경치는 보고 가야죠.
② 웬만하면 애하고 같이 그냥 집에 있는 게 어때?
③ 불현듯 불안해 하고 있었는데 기어이 일이 터져 버렸다.
④ 행여나 큰 그의 두 눈이 더욱 껌백거리는 것이었다.

3) **32**

① 드라마에서나 있을 법한 이야기가 허구가 아니라니.
② 심각한 차질이 없는데야 그대로 추진하자.
③ 학생들에게 ＰＣ로 자료를 열람한답시고 편의를 제공하고 있다.
④ 과로로 몸살이 날진대 무리해서 와 주셨네요.

9 (　　) 안에 들어갈 표현으로 가장 알맞은 것을 하나 고르십시오.
(마크시트의 33번～36번을 사용할 것)　　〈1点×4問〉

1) A：이번 학기에는 동아리 활동을 좀 해 볼까 해.
　B：아니, 왜? 무슨 바람이 불었어?
　A：그게, 선배가 너무 좋다고 권하더라고. 거기서 남자 친구까지 생겼다나.
　B：진짜? 나도 그 동아리에 들어가면 안 될까?
　A：너 혹시 (**33**)
　B：어떻게 알았어?

① 남의 떡이라 더 커 보이는 거 아니야?
② 선무당이 사람 잡는 거 아니야?
③ 잿밥에 더 관심이 있는 거 아니야?
④ 몸이 근질근질해서 그러는 거 아니야?

2) A：그 영화 봤다면서요? 저도 소재가 좋은 것 같아서 꼭 봐야지 하고 있었는데 아직 못 봤거든요.

B：우리말의 소중함을 다시 한번 느낄 수 있는 좋은 영화였어요. 재미있으면서도 감동과 교훈을 주는 영화라고나 할까요?

A：그런데 실화를 바탕으로 했다고 들었는데 각색을 너무 많이 했다는 평도 있던데요.

B：사실감은 조금 떨어지지만 재미도 추구해야 되니까요.

A：(**34**)

B：그럼요.

① 실화 영화에서는 역시 사실감이 기본이죠.
② 봤으면 좋겠는데 보러 갈 겨를이 있어야죠.
③ 하긴 영화니까 각색이 있는 거는 당연하겠죠.
④ 전 내용의 재미도 중요하겠지만 소재가 마음에 안 들거든요.

3）A：아들이 집에서 말도 별로 하지 않고 질문에도 두세 마디 정도밖에 대답을 안 해요.
B：그건 자신이 겪는 문제를 말로 표현하는 방법을 잘 몰라서 그러는 게 아닐까요?
A：그런가요? 그러면 어떻게 해야 좋을까요?
B：글쎄요. 평소에 아이하고 소통이 부족하다면 일주일에 한 번은 아이 얘기를 들어주는 시간을 만들면 어때요?
A：（ **35** ）
B：어렵더라도 자리 한번 마련해 보세요. 그러면 아이도 부모가 자기를 믿고 이해해 준다고 생각해서 마음을 열 거예요.

① 내가 계속 나가 있다 보니까 그런 시간을 내기 힘들 것 같은데.
② 그런 건 일주일에 한 번이 아니라 매일이라도 해야죠.
③ 그렇잖아도 한 번 아이하고 진지하게 이야기를 나눠 봤어요.
④ 만약에 시간을 줘도 아이가 말로 표현하지 않는다면 그럴 수밖에요.

4） A：또 인터넷 옥션에서 뭘 사려구요?
B：이 골프 클럽 어때? 100만 원에 살까 하는데.
A：어머, 비싸네. 돈은 어떻게 마련하려고요.
B：낙찰 대금을 마련하지 못하는 회원들을 위한 대출 서비스가 있거든.
A：（ **36** ）
B：또 누가 꿔 주지 않을라나?
A：세상에.

① 그러다 백만 원을 밑지겠네.
② 대출이라니, 그건 또 어떻게 갚게요?
③ 골프 클럽을 인터넷으로 대여해 주는 곳도 있데요.
④ 우리 같은 집안에 골프 클럽이 다 뭐예요.

10 다음 글을 읽고 【물음１】～【물음２】에 답하십시오.
(마크시트의 37번～38번을 사용할 것) 〈1点×2問〉

나는 학생 책가방 안에는 그날 수업에 필요한 필기구며 교과서가 들어 있을 것으로 생각한다. （Ａ） 그런데 요새 학생들 가방에는 교과서가 들어 있지 않는 것 같다. 스마트폰, 태블릿ＰＣ처럼 가볍고 어디서나 인터넷에 쉽게 접속할 수 있는 장비들이 대중화되면서 굳이 무겁고 제한적인 정보를 싣고 있는 교과서를 가지고 다닐 필요가 사라졌다. （Ｂ） 이미 두꺼운 책을 펼쳐 들고 앉아서 정독하는 시대는 지난 것 같고, 책보다는 작은 태블릿ＰＣ의 화면이 더욱 익숙해진 것도 분명해 보인다. （Ｃ）

하지만 태블릿의 시대라고 해서 정리된 것만 요약해서 짧은 시간에 이해하려고 하는 것은 분명 문제가 있다. 내가 걱정하는 것은 책의 전후를 읽어 가면서 얻게 되는, 답 외의 과정을 지금은 놓치고 있지 않나 하는 것이다. 빠르게, 효율적으로, 인쇄까지 되어 버리는 현 세태에 아쉬운 부분이다. （Ｄ）

한 연구 결과에 따르면, 손으로 글씨를 쓰며 학습하는 것이 컴퓨터를 이용하여 학습하는 것보다 두뇌 발달, 학습 발달에 도움이 된다고 한다. 정보의 바다에서 쉽고 빠르게 학습하는 것도 좋지만, 전후 내용을 뒷받침할 부연 설명, 전개 과정까지 이해할 수 있어야 이보다 더 나은 발전을 기대할 수 있을 것이다.

【물음 1】 본문에서 다음 문장이 들어갈 위치로 가장 알맞은 것을 하나 고르십시오. 37

> 책을 읽으며 얻은 지식을 서로 나눌 때 같은 답이라 할지라도 조금은 서로 다른 해석과 접근 방법을 배우게 되고 창조적인 아이디어가 나오게 될 것이다.

① (A)　② (B)　③ (C)　④ (D)

【물음 2】 본문의 내용과 일치하지 않는 것을 하나 고르십시오. 38

① 인터넷에 접속하는 장치들이 일반화돼서 학생들 가방에서 교과서가 사라진 것 같다.
② 학생들은 이제 교과서보다 태블릿ＰＣ 화면에 더 익숙해졌다.
③ 책을 읽는 것은 그 과정도 중요하지만 요점을 파악하는 것이 더 중요하다.
④ 컴퓨터를 이용하는 것보다 손으로 쓰며 학습하는 것이 두뇌를 더 발달시킨다.

다음 글을 읽고 【물음 1】~【물음 2】에 답하십시오.
(마크시트의 39번~40번을 사용할 것) 〈1点×2問〉

[39]'나 예쁘죠? 모두 땅속의 뿌리 덕이랍니다.'라며 공치사라도 한 마디 던질 줄 아는 속 깊은 꽃이 어디 있나.

뿌리보다 성장 속도가 빠른 줄기와 가지, 그리고 무성한 잎새들. 이들의 무게를 머리에 이고 견디는 것은 뿌리의 몫이다. 장맛비가 폭포처럼 쏟아져도 끄떡없이 서 있는 나무들은 온전히 뿌리의 힘 때문이다.

등산로에 얽혀있는 뿌리들을 유심히 본다. 근육질의 남성 팔뚝처럼 우람한 모양의 뿌리가 보인다. 길고 야윈 채 마디마디가 불뚝 튀어나온 여인 손등 같은 뿌리도 있다. 거친 삶을 감내하던 엄마 손이 떠오른다. 땅 갈고 밭을 매던 손, 사시사철 세 끼 밥을 해대고 겨울 냇가에서 얼음물로 빨래를 하던 손. 터지고 갈라진 손.

그 손으로 키워낸 자식들이 꽃으로 피고 튼실한 열매로 맺혀도 엄마는 생색 한 번 낸 적이 없다. 엄마의 공을 잊은 채, 제 잘난 양 살아가는 자식들에게 서운한 눈길 한 번 보낸 적도 없다.

어릴 적, 하루의 고단함을 벗어나 잠자리에 들 때 소망으로 읊조리던 엄마의 혼잣말이 아직도 귀에 선연하다.

'이 밤이 한 대엿새 갔으면 원이 없겠다.'

길고 어두운 밤을 기원했던 엄마, [40]그 원이 이루어진 건가. 칠흑 같은 뿌리의 영토에 묻혀 긴 잠 주무시고 있다.

【물음 1】 밑줄 친 39를 통해서 필자가 말하고자 한 내용으로 가장 알맞은 것을 하나 고르십시오. **39**

① 어머니는 자식이 성공했다고 해서 대가를 바라지는 않는다.
② 어머니의 은혜를 깊이 헤아리려는 자식은 보기 힘들다.
③ 어머니는 자식이 은혜를 잊고 살아가는 것을 서운하게 여기지 않는다.
④ 어머니의 덕에 감사하지 않는 자식은 별로 없다.

【물음 2】 필자가 40'그 원이 이루어진 건가'라고 생각한 이유로 알맞은 것을 하나 고르십시오. **40**

① 자식이 다 자라서 시름이 놓이기 때문에
② 자연 속에서 한 숨 돌리는 시간이 마련됐기 때문에
③ 다는 몰랐던 엄마의 고생을 이제는 내가 알기 때문에
④ 어머니가 영원한 쉼을 얻으셨기 때문에

12 다음 글을 읽고【물음 1】~【물음 2】에 답하시오.
(마크시트의 41번~42번을 사용할 것)　〈1点×2問〉

[북(北)의 문헌에서 인용]

어느 한 나라의 연구사들이 뇌는 많이 쓸수록 발달하지만 수면이 부족한 경우에는 오히려 뇌의 기능을 떨군다는것을 밝혀냈다.

연구사들이 실험을 진행한 결과 수면부족이 뇌의 기억능력을 크게 감소시켰다고 한다.

연구사들은 28명(18-30살)을 두패로 나누어 한패는 35시간이상 잠을 자지 못하게 하고 다른 패는 7-9시간동안 정상적으로 잠을 자게 하며 그들에게 여러 장의 사진을 보여주었다. 이틀이 지나자 수면부족상태에 있는 사람들은 정상적으로 잠을 잔 사람들에 비해 기억능력이 5분의 1정도로 떨어졌다.

(A) 연구사들은 쥐들을 72시간 잠들지 못하게 한 다음 정상적으로 잠을 잔 쥐들과 비교하였다. (B) 잠을 못 잔 쥐들은 코르티코스테론이 크게 늘어나면서 기억을 형성하는 뇌부위인 해마에서 증식되는 신경세포의 수가 크게 줄어든것을 발견하였다. (C) 스트레스호르몬인 코르티코스테론이 늘어난데 있다.

한주일이 지나 수면은 정상상태로 되였지만 해마에서의 신경세포증식은 두주일후에야 회복되였다.

이번의 연구결과는 수면부족으로 인한 스트레스호르몬분비량의 증대가 뇌의 신경세포증식을 감소시킨다는것을 증명한것으로 된다.

따라서 연구집단은 오래동안 잠을 자지 못하였을 때 나타나는 집중력저하 등 일부 인식기능약화가 신경세포의 증식억제때문에 빚어지는것이라고 간주하고있다.

【물음１】 본문에서 Ⓐ/Ⓑ/Ⓒ에 들어갈 말로 알맞은 것을 하나 고르십시오. **41**

① Ⓐ하지만 Ⓑ그랬더니 Ⓒ이것은
② Ⓐ한편 Ⓑ결과 Ⓒ이런 현상은
③ Ⓐ또한 Ⓑ그러면 Ⓒ이것은
④ Ⓐ그런데 Ⓑ그 이유는 Ⓒ따라서

問　題

【물음 2】 본문의 내용과 일치하지 않는 것을 하나 고르십시오. 42

① 정상적인 수면을 취한 사람들은 안 그런 사람들보다 기억 능력이 훨씬 높았다.
② 스트레스 호르몬이 늘어난 결과로서 잠이 안 오고 신경세포가 감소된다.
③ 잠을 제대로 자지 못하면 코르티코스테론이 증가한다.
④ 뇌신경 세포 증식의 억제가 집중력 저하를 초래한다.

13 다음 문장들을 문맥에 맞게 일본어로 번역하십시오. 한자 대신 히라가나로 써도 됩니다.
(마크시트 뒷면의 기술식 해답란을 사용할 것)

〈2点×4問〉

1）워낙에 파격적인 일이라 처음엔 저도 긴가민가했어요.

2）아무리 그래도 사람이 은혜를 원수로 갚으면 쓰나?

3）정신 상태가 해이해져서 그런지 요새 생뚱맞은 소리를 많이 하네.

4）신출내기인 제가 외람되게도 한 말씀 드리고자 합니다.

問　題

14 다음 일본어를 문맥에 맞게 번역하십시오. 답은 한 가지만을 한글로 쓰십시오.
(마크시트 뒷면의 기술식 해답란을 사용할 것)

〈2点×4問〉

1）この地域ならではの「持ちつ持たれつ」の関係も徐々に消えつつある。

2）口車に乗せられたとわめいているが、私から言わせればお互い様だ。

3）景気は悪くなる一方で、わが家の家計は依然、火の車だ。

4）料理の味にはうるさいけど、他はこだわらないよ。

듣기와 받아쓰기 문제와 해답

지금부터 1급 듣기와 받아쓰기 시험을 시작하겠습니다. 큰 문제가 모두 8문제입니다. 메모를 하실 경우에는 문제 소책자 메모난에 하십시오. 큰 문제 7번과 8번의 해답은 마크시트 뒷면 기술식 해답란에 쓰십시오. 그럼 시작하겠습니다.

1 문장을 2번 읽겠습니다. 이어서 선택지를 1번 읽겠습니다. 들으신 문장 내용과 일치하는 것을 하나 고르십시오. 다음 문제는 20초 후에 읽겠습니다.

1) 다들 좋아서 그러는 마당에 찬물을 끼얹으면 돼요? [1]
→ みんな気分よくしているところに、水を差しちゃだめじゃないですか。

① 벌써부터 신나서 난리인데 진정 좀 시키지 그러세요.
→ 早くから浮かれて騒いでるから、ちょっと落ち着かせたらどうですか。

❷ 모두들 기뻐하는데 왜 초를 치고 그러세요?
→ みんな喜んでいるのに、どうして邪魔するんですか。

③ 날씨가 추운데 찬물로 씻으라면 어떡해요.
→ 寒いのに、冷たい水で洗えと言ったらどうするんですか。

④ 모두들 기분이 좋으니까 분위기를 띄워 줘야죠.
→ みんな気分がいいから、雰囲気を盛り上げてあげなきゃだめですよね。

解　答

Point 問題文の찬물을 끼얹다と②の초를 치다は「水を差す、場をしらけさせる」という同じ意味の言葉で、これが正答。一定数の受験者が④を選んだが、분위기를 띄우다は「雰囲気を盛り上げる」という意味で、찬물을 끼얹다とは全く異なる内容なので誤答である。

2）아무리 막역한 사이래도 믿는 도끼에 발등 찍힐 수 있어요.
→ いくら親しい仲でも飼い犬に手を噛まれることもありますよ。 **2**

❶ 허물없이 지내는 사람이 배신하는 경우도 있어요.
→ 気兼ねなく付き合っている人が裏切る場合もありますよ。

② 애매하게 말하면 못 알아들을 수도 있어요.
→ 曖昧に言うと理解できないかも知れませんよ。

③ 똑똑한 친구도 봉변을 당하는 경우가 있어요.
→ しっかりしている友だちもひどい目に遭う場合がありますよ。

④ 별로 안 친한 사람이 오히려 믿음직할 수도 있어요.
→ 別に親しくない人がむしろ頼もしいこともありますよ。

Point 問題文の막역하다〈莫逆－〉は「非常に親しい」という意の形容詞。また믿는 도끼에 발등 찍힌다は「飼い犬に手を噛まれる、信頼を置いていた者から思いがけず害を受ける」という意のことわざ。①が正答である。④を選んだ受験者もいたが、問題文の「親しい人が実は信頼できないかも知れない」という内容とは逆なので誤答である。

2 대화문과 선택지를 1번씩 읽겠습니다. 대화를 듣고 다음에 이어질 내용으로 가장 알맞은 것을 하나 고르십시오. 다음 문제는 20초 후에 읽겠습니다.

1)

여：여보세요. 외국인인데요. 휴대폰을 하나 만들려고 하는데 어떻게 해야 합니까?
남：외국인 등록증이나 여권 사본 1통을 가지고 오시면 됩니다. 그리고 한국 신용 카드가 하나 필요한데요.
여：한국에서 만든 신용 카드는 있습니다.
남：(3)

[日本語訳]

女：もしもし、外国人なんですが、携帯電話を一つ作りたいんですけど、どうすればいいですか。
男：外国人登録証かパスポートの写し１通をお持ちくだされば大丈夫です。あと韓国のクレジットカードが一つ必要なんですが。
女：韓国で作ったクレジットカードならあります。
男：(3)

① 신분증이 없으면 입국 허가를 내 줄 수가 없습니다.
→ 身分証が無ければ入国許可を出すことができません。

解　答

② 그러니까 대리점에 가서 신청하셔야 한다잖아요.

→ だから代理店に行って申請しなきゃいけないと言っているじゃないですか。

③ 근데 카드를 가지고 계셔야지 신청하실 수 있거든요.

→ でもカードを持っていらっしゃらないと申請ができないんです。

❹ 그럼 직접 오시거나 서류를 팩스로 보내셔도 됩니다.

→ では直接お越しいただくか、書類をファックスで送っていただいても構いません。

2）

남：미라한테 좋은 남자 하나 소개시켜 줬거든.

여：그래? 잘돼서 결혼까지 이어지면 좋겠다.

남：그럼 중매해 준 나한테 양복 한 벌 해 줄라나? 생각만 해도 즐거운데.

여：（ 4 ）

[日本語訳]

男：ミラにいい男紹介してあげたんだ。

女：そうなの？ うまくいって結婚まで繋がるといいね。

男：そしたら取り持った僕にスーツ１着買ってくれるかな？ 考えただけでも嬉しいな。

女：（ 4 ）

❶ 떡 줄 사람은 생각도 안 하는데 김칫국부터 마시지 마.
→ 向こうは考えもしてないのに、早合点するなよ。

② 야, 겨 묻은 개가 똥 묻은 개 나무란다더니.
→ おい、目くそ鼻くそを笑うって言うけど。

③ 냅둬. 메뚜기도 유월이 한철이라고.
→ ほっときなよ。花の命は短いって。

④ 걱정 마. 개한텐 땅 짚고 헤엄치길걸.
→ 心配するなって。あいつにとっては朝飯前だよ。

3 대화문을 듣고 물음에 답하십시오.

1) 대화문과 선택지를 1번 읽겠습니다. 여자의 주장으로 맞는 것을 하나 고르십시오. 다음 문제는 30초 후에 읽겠습니다. 5

남 : 애가 학교에 교복을 입고 가기 싫다고 아침마다 난리예요.
여 : 저도 교복을 의무화하지 말았으면 좋겠어요. 겨울엔 추워서 불편하고 아이들이 너무 획일적으로 될 것 같기도 하고요.
남 : 아니, 학생이 교복을 싫어하면 되나요? 학생이라는 신분도 확실해지니까 좋잖아요.
여 : 그건 다 어른들 생각이죠. 복장 정도는 아이들의 자율에 맡겨도 되지 않을까요?

解　答

남 : 애들이 사복 입고 학교 다니게 된다면 옷을 구입하는 데 가계 부담이 너무 크잖아요.
여 : 요즘 교복도 너무 비싸서 선배한테 물려 받는 학생도 많대요.

[日本語訳]

男 : 子どもが学校に制服着て行きたくないって言って毎朝大変なんです。
女 : 私も制服を義務化しなきゃいいのにって思います。冬は寒くて不便だし、子どもたちが画一化されすぎる気もしますし。
男 : いや、学生が制服を嫌がっちゃだめでしょう。学生っていう身分も確実に分かるからいいじゃないですか。
女 : それは全部大人の考えですよね。服装ぐらい子どもたちの自由にしてあげればよくないですか。
男 : 子どもたちが私服来て学校行くようになれば服を買うのに家計の負担も大きすぎるんじゃないですか。
女 : 最近は制服もあまりに高くて、先輩から譲り受ける学生も多いそうですよ。

① 학생은 마땅히 교복을 입고 다녀야 한다.
→ 学生は当然制服を着て通わなければならない。

② 교복이나 사복을 어른들이 선택해 주어야 한다.
→ 制服や私服を大人たちが選んであげなければならない。

❸ 복장에 관해서는 아이들의 개성을 살려 주는 것이 좋다.
→ 服装に関しては子どもたちの個性を生かしてあげるのが良い。

④ 교복을 폐지하면 아이들 옷에 돈이 너무 많이 든다.
→ 制服を廃止すれば、子どもたちの洋服にお金がかかりすぎる。

2) 대화문과 선택지를 1번 읽겠습니다. 여자의 주장으로 맞는 것을 하나 고르십시오. 다음 문제는 30초 후에 읽겠습니다. **6**

여 : 교수님이 유머가 있으셔서 강연이 얼마나 재미있는지 모르겠더군요.
남 : 그러게요. 어쩌면 그렇게도 말씀을 잘하실까? 전 아쉽게도 유머 자질을 타고나지 못해서.
여 : 유머 자질은 타고나는 게 아니라고 생각해요. 여유와 아량이 있는 사람이 유머 감각도 뛰어난 것 같아요.
남 : 그럼 여유와 아량은 천부적인 건가요?
여 : 작은 일에 연연해 하지 않고 관대한 성품은 습관의 소산이지, 결코 타고나는 게 아니죠.
남 : 하긴 그렇네요. 그런 여유와 아량이 유머의 바탕이 되니까.

[日本語訳]
女 : 教授がユーモアある方で講演がとてもおもしろかったですよ。
男 : そうですね。どうしてあんなにお話が上手でいらっしゃるんだろう。私は残念ながらユーモアの資質を持って生まれなか

解　答

ったから。

女：ユーモアの資質は生まれ持ってのものじゃないと思います。余裕と雅量(がりょう)のある人は、ユーモアの感覚も優れてると思います。

男：じゃあ余裕と雅量は天賦のものなんでしょうか。

女：小さいことは気にしない寛大な性格って習慣の産物であって、決して生まれ持ったものじゃないですよね。

男：確かにそうですね。そんな余裕と雅量がユーモアの土台になりますからね。

① 여유와 아량은 유머와는 상관성이 희박하다.

→ 余裕と雅量はユーモアとは相関性が希薄である。

② 유머 자질은 선천적으로 타고나는 것이다.

→ ユーモアの資質は先天的に持って生まれるものである。

❸ 유머 감각은 평소의 마음가짐에 따라 형성된다.

→ ユーモアの感覚は普段の心がけによって形成される。

④ 마음이 너그러워야 유머가 나오는 것은 아니다.

→ 心が寛大であってこそユーモアが出て来るわけではない。

Point 選択肢①の희박하다は「希薄だ」という形容詞。会話において女性は余裕と雅量とユーモアとの関係について薄いとは言っていないので、①は誤答である。また、余裕と雅量もユーモアの資質も同様に先天的なものではないと語っているので②も誤答となる。④も女性の主張とは一致しないので誤答、正答は③。

4 문장을 듣고 물음에 답하십시오.

1) 문장과 선택지를 1번 읽겠습니다. 문장의 요지로 가장 알맞은 것을 하나 고르십시오. 다음 문제는 30초 후에 읽겠습니다. **7**

나는 지난해 5월부터 초등학교 등하굣길의 교통안전을 지켜 주는 노인 일자리 사업단에서 활동했다. 첫날, 정문 횡단보도를 건너는 학생 230여 명 중 우리에게 인사하는 학생은 단 두 명이었다. 우리는 교육 차원에서 먼저 아이들에게 인사를 건네기로 했다. 그러자 먼저 인사하는 학생들이 점점 늘어나기 시작해 겨울방학이 시작될 무렵에는 130여 명을 넘어섰다. 아이들 인성·예절 교육은 억지로 해서 되는 게 아니라 일상생활 속에서 자연스럽게 우러나오도록 해야 한다는 것을 새삼 느꼈다.

[日本語訳]

私は昨年5月から、小学校の通学路の交通安全を守る高齢者就労支援事業団で活動している。初日、正門の横断歩道を渡る学生230人余りのうち、私たちに挨拶してきた学生はたった二人であった。我々は教育の観点から先に子どもたちに挨拶をしようと決めた。すると先に挨拶してくる学生が段々と増え始め、冬休みの始まる頃には130人余りを超えた。子どもたちの情操教育や礼儀の教育は無理やりやらせてなるものではなく、日常生活の中で自然と湧き出るようにしなければならないということを改めて感じた。

解　答

① 인사를 가르쳤더니 먼저 인사하는 아이들이 늘었다.
→ 挨拶を教えると、先に挨拶してくる子どもたちが増えた。

② 어릴 때는 교육 차원에서 엄하게 예절을 가르치는 게 좋다.
→ 幼い時は、教育の観点から厳しく礼儀を教える方が良い。

❸ 사람의 인품과 도덕은 강요한다고 갖추어 지는 것이 아니다.
→ 人の品格と道徳は、強要して備わるものではない。

④ 등하굣길 안전을 위해서는 먼저 아이들과 이야기를 나누어야 한다.
→ 通学路の安全のためには、先に子どもたちと語り合わなければならない。

Point 筆者から率先して挨拶することで、子どもたちに挨拶を強要することなく、日常生活の中で自然と情操教育や礼儀の教育が浸透したという内容が述べられており、③が文章の要旨として適当である。

2）문장과 선택지를 1번 읽겠습니다. 문장 내용과 일치하는 것을 하나 고르십시오. 다음 문제는 30초 후에 읽겠습니다. **8**

설 연휴 특별한 나들이 장소를 찾으신다면 고궁은 어떨까요? 전통 놀이와 무료입장 등 다양한 행사가 마련되어 있습니다. 경복궁과 창덕궁 등 4대궁과 조선 왕릉은 연휴 기간 동안 쉬는 날도, 입장료도 없습니다. 경복궁에서는 아궁이에 불을 피워 전통 온돌을 체험할 수도 있습니다. 평소에 예약제로 운

解答

영되는 종묘도 설 연휴에는 자유로운 관람이 가능합니다. 하지만 창덕궁 후원은 무료 관람 대상에서 제외됩니다. 다양한 행사들이 준비되어 있지만, 고궁들은 설 당일에는 문을 닫는다는 점은 주의해야 합니다.

[日本語訳]

正月の連休に特別なお出かけ場所をお探しならコグン(故宮)はいかがでしょうか。伝統的な遊びと入場料無料など、様々な催しが用意されています。キョンボックン(景福宮)、チャンドックン(昌徳宮)などの４大宮とチョソンワンルン(朝鮮王陵)は連休期間中、お休みも、入場料もありません。キョンボックンではかまどに火を焚き、伝統のオンドルも体験できます。普段は予約制のチョンミョ(宗廟)も正月の連休は自由な観覧が可能です。しかしチャンドックンの後苑は無料観覧対象から除外されます。様々な催し物が用意されていますがコグンは正月の一日はお休みになる点は注意しなければなりません。

① 설 당일에는 창덕궁 후원만은 예약이 필요하다.
→ 正月の一日はチャンドックンの後苑だけは予約が必要である。

② 조선 왕릉에서는 설 당일에도 전통 놀이와 행사가 마련돼 있다.
→ チョソンンワンルンでは正月の一日も伝統の遊びと催しが用意されている。

解　答

❸ 연휴 동안 창덕궁을 관람하는 데 입장료가 필요없다.

→ 連休期間中、チャンドックンを観覧するのに入場料が要らない。

④ 4대궁과 조선 왕릉은 설이 지나면 문을 닫게 된다.

→ 4大宮とチョソンワンルンは正月が過ぎれば閉めることになる。

Point 本文では、すべてのコグンとチョソンワンルンが連休の間、入場料が必要ないと明言しているので③が正答。①はチャンドックン後苑の予約については述べていないので誤答である。②を選択した受験者が多かったが、伝統的な遊びや催しが用意されているとしたのはコグンであり、チョソンワンルンについては入場料無料以外の情報は述べておらず、誤答となる。

5 대화문을 1번 읽겠습니다. 들으신 다음에【물음1】~【물음2】에 답하십시오. 다음 문제는 60초 후에 읽겠습니다.

여：오늘은 복원 전문가이신 김 박사님과 이야기 나눠 보겠습니다. 박사님께서는 손상된 작품의 복원을 치료에 빗대서 의사에 비유하셨는데요.

남：네. 유물이나 미술 작품의 의사라고 할 수 있죠. 복원 전문가는 유물이 손상됐을 경우 치료하여 손상 전 상태로 되돌리거나 손상되기 전 상태를 진단하고 보존될 수 있도록 연구하고 돌보는 사람입니다.

여：유물을 복원할 때 가장 중요하게 생각하시는 것은 무엇인가요?

남：우선 유물은 물질이기 때문에 그 재료에 대한 정확한 이해

에서 출발해, 과학적인 복원 방법을 찾는 것이 중요합니다. 그리고 유물이 살아온 시간성을 담아내는 것도 중요합니다.

여：우린 흔히 복원 하면 작품이 처음 만들어졌을 당시 모습으로 되돌린다고 생각하는데요.

남：그 점이 오해하기가 쉬운 부분인데요. 예를 들어 100년 전 작품이라면 100년 동안 건강하게 잘 관리를 받았을 경우 어떤 모습이 됐을까를 상정해서 복원을 해야 합니다. 만일 작가 자신이 손상된 작품 일부분을 새로 그린다거나 만들어 치료한다면 그건 그 해에 재창작한 다른 작품이 되는 것이 되죠.

[日本語訳]

女：本日は復元の専門家でいらっしゃるキム博士にお話を伺いたいと思います。博士は損傷した作品の復元を治療に例えて医者と表現なさいましたね。

男：はい。遺物や美術作品の医者と言えます。復元専門家は遺物が損傷した場合、治療して損傷前の状態に戻したり、損傷前の状態を診断し、保存できるよう研究して世話をする人です。

女：遺物を復元なさる際に、最も大事と考えていらっしゃることは何ですか。

男：まず遺物は物質ですので、その材料に対する正確な理解から始まり、科学的な復元方法を見つけることが重要です。そして遺物が生きてきた時間性を込めることが大事です。

解　答

女：私たちは普段、復元と聞くと作品が最初に作られた当初の姿に戻すと考えるのですが。

男：その点が誤解されやすいところです。例えば百年前の作品であれば、百年の間しっかりと健康に管理された場合、どんな姿になっているだろうということを想定して、復元をしなければいけません。もし、作家自身が損傷した一部分を新たに描いたり作って治療(作り直したと)すれば、それはその年に再創作された別の作品になってしまうのです。

【물음 1】 대화 내용과 일치하지 않는 것을 하나 고르십시오.

9

① 복원 전문가는 상한 유물을 치료하는 의사라고 할 수 있다.
→ 復元専門家は、傷んだ遺物を治療する医者と言える。

❷ 유물이 복원된 후의 상태는 원래 모습과 같아야 한다.
→ 遺物の復元後の状態は、もともとの姿と同じでなければならない。

③ 제대로 복원하려면 소재에 대해서도 정확히 이해해야 한다.
→ ちゃんと復元するためには、素材について正確に理解しなくてはならない。

④ 손상된 부분을 다시 그리거나 수정하는 것은 복원이라 할 수 없다.

→ 損傷した部分を描きなおしたり、修正することは復元と言えない。

【물음 2】 김 박사의 주장으로 알맞은 것을 하나 고르십시오. 10

❶ 복원시 작품이 지녀 온 역사나 흔적을 변형시켜서는 안 된다.

→ 復元する際、作品の持つ歴史や痕跡を変形させてはならない。

② 유물 복원에서 중요한 것은 창작 당시 모습으로 되돌리는 것이다.

→ 遺物の復元において重要なことは、創作当時の姿に戻すことである。

③ 복원 전문가를 의사에 비유하는 것은 무리가 있다.

→ 復元専門家を医者に例えるのは無理がある。

④ 복원을 할 때는 과학성과 예술성을 동시에 고려해야 한다.

→ 復元をする際には、科学性と芸術性を同時に考慮しなくてはならない。

Point 男性が会話の中で「損傷した一部分を新たに描いたり作り直せば、それは再創作された別の作品になってしまう」と言っているので、ここでは①が正答。選択肢④を選んだ受験者もいたが、「科学性」については述べていても「芸術性」については直接言及していないので誤答となる。

解　答

6 문장을 1번 읽겠습니다. 들으신 다음에【물음1】~【물음2】에 답하십시오. 다음 문제는 60초 후에 읽겠습니다.

삶의 후반기가 행복하려면 여러 가지가 필요하겠지만 그중에서도 인간관계가 가장 중요한 것 같다. 인간관계의 기본이 되는 것은 말인데 육십 년 이상 살아 온 나도 여전히 말실수가 잦다. 지난 일을 떠올리다가 그때 그 말은 하지 말았어야 했는데 하며 머리를 흔들기도 하고, 상황에 맞지 않는 말로 상대방을 당황스럽게 한 일이 생각나면 나도 모르게 발을 구른다.

말은 입체라고 할 수 있다. 입체란 여러 개의 평면이나 곡면으로 둘러싸여 있어 부피를 가지는 물체다. 그렇다면 말이라는 입체 속에도 여러 가지를 채워 넣을 수 있겠다. 둥글고 각지지 않은 것들로 채워 넣을 때 말이 제대로 굴러가지 않을까. 따뜻한 정, 이지적인 배려심, 부드러운 연민, 사심없는 조언, 상대가 잘되기를 바라는 마음 등 내가 하는 말 속에는 무엇을 더 넣고 무엇을 빼야 할까.

[日本語訳]

人生の後半が幸福であるためには様々なものが必要であろうが、中でも人間関係が最も重要だと思う。人間関係の基本となるのは言葉だが、60年以上生きてきた私も依然、言葉の失敗がよくある。過ぎたことを思い出していて、あの時のあの言葉は言うべきじゃなかったと頭を振りもするし、状況にそぐわない言葉で相手を困らせてしまったことを思い出すと、思わず足を踏み鳴らす。

第53回 解答

言葉は立体と言える。立体とはいくつもの平面や曲面で覆われており、かさを持つ物体である。であれば言葉という立体の中にも色々なものを詰め込むことができるだろう。丸く角の立たないもので満たす時、言葉はちゃんと転がって行くだろう。温かい情、理知的な思いやり、優しい哀れみ、私心のない助言、相手の成功を望む心など、私の発する言葉の中には何を足し入れ、何を抜くべきであろうか。

【물음1】 문장에서 말한 '각지지 않은 것'으로 알맞은 것을 하나 고르십시오. 11

① 남이 잘되는 것을 시기하고 원망하는 마음
→ 他人の成功を妬み恨む心

② 사사로운 감정으로 시비를 가리려는 마음
→ 個人的感情で是非を分けようとする心

❸ 상대의 입장에서 헤아리는 마음
→ 相手の立場から慮(おもんぱか)る心

④ 맹목적으로 뜨겁게 사랑하는 마음
→ 盲目的に熱く愛する心

【물음2】 문장 내용과 일치하지 않는 것을 하나 고르십시오. 12

解 答

❶ 말실수 때문에 상대방과 관계가 끊긴 적이 있다.

→ 言葉の失敗で相手との関係が切れてしまったことがある。

② 자기가 한 말이 후회되는 경우가 적지 않다.

→ 自分の言葉を後悔することが少なくない。

③ 말은 험하거나 거칠지 않은 것이 좋다.

→ 言葉はきつかったり乱暴でない方が良い。

④ 오래 살았다고 해서 말실수가 적어지는 것은 아니다.

→ 長く生きたからと言って言葉の失敗が減るわけではない。

Point 本文3行目の말실수가 잦다は「言葉の失敗がよくある」という意で、後ろに続く文はその例示となっている。「人間関係が切れてしまった」とは言っていないので選択肢①が正答。③を選んだ受験者がいたが、둥글고 각지지 않은 것「丸く角の立たないもの」と表現していることからも、文の内容と一致していると言えるので誤答である。

7 문장의 일부를 문맥에 맞게 일본어로 번역하는 문제입니다. 2번씩 읽겠습니다. 답을 쓰는 시간은 60초씩입니다. 그럼 시작하겠습니다.

1）①(본전도 못 건져서) 결국 ②(헛물만 켠 셈이에요.)

→ ①(元も取れずに／元手も回収できずに)結局、②(骨折り損になった／徒労に終わったわけです。)

Point 헛물을 켜다とは「骨折り損になる、徒労に終わる、苦労の甲斐もない」という意の慣用句で、努力したが結果が出ず自分の行為が無駄になった場合に用いられる。「無駄足を踏んだ」と訳した受験者が多かったが、これは「せっかく行ったのになんの役にも立たない」とい

う意で、足を運んだ甲斐がないという場合に用いられる慣用句。よって「無駄足を踏んだ」では的確に訳したとは言い難い。同様に「すっからかんになった」という解答も多く見られたが、これは結果的事実を述べているだけで헛물을 켜다の訳として的確だとは言えない。

2）①(근근이 살아가는 터에) 일자리까지 잃게 돼 ②(억장이 무너졌다.)

→ ①(細々と暮らしているところに)職まで失って、②(胸が押しつぶされる思いだった。)

3）①(일체 함구하라)는 지시가 있었지만 ②(입이 근질거려) 견디기 힘들었다.

→ ①(他言無用／口外無用／一切しゃべるな)との指示があったが、②(口がむずむずして)耐えられなかった。

4）①(꼼수를 부리는) 그가 왠지 ②(고깝게 보이지만은 않았다.)

→ ①(小細工する／せこいやり方をする)彼が、なぜか②(憎たらしいばかりではなかった。)

Point 꼼수를 부리다は「小細工する、せこいやり方をする」という意。「いじわる、悪だくみ」という解答が見られたが、ニュアンスを若干はき違えていると言える。また고깝게 보이지만은 않았다を「かわいそうには見えなかった、愚か者には見えなかった」と訳した受験者が多かったが、고깝다は「恨めしい、憎たらしい」という意なので「憎たらしいばかりではなかった」、「恨めしくばかり思えたのではなかった」のように訳すのが正解。

解　答

8 문장의 일부를 받아쓰는 문제입니다. 2번씩 읽겠습니다. 답을 쓰는 시간은 30초씩입니다. 그럼 시작하겠습니다.

1）사람들은 그 의원의 사생활이 ①(문란하다)는 인상을 ②(갖게 됐다).

→ 人々はその議員の私生活が①(乱れている)という印象を②(持った)。

2）딸의 얼굴을 ①(물끄러미) 바라보던 그의 뺨 위로 ②(걷잡을 수 없이) 눈물이 흘렀다.

→ 娘の顔を①(じっと)見つめていた彼の頬の上を②(抑えようがない)涙が流れた。

3）①(자질구레한) 문제들에 휘둘리지 말고 ②(의연한) 태도로 임해라.

→ ①(つまらない)問題に振り回されずに②(毅然とした)態度で臨め。

4）뭐가 ①(언짢았는지) 상사가 ②(핀잔하듯) 말했다.

→ 何が①(気に食わなかったのか)上司が②(けんつくを食らわすように)言った。

필기 문제와 해답

1 (　　) 안에 들어갈 말로 가장 알맞은 것을 하나 고르십시오.

1) 어디에 가든 그 곳의 (**1**)를/을 깨지 않도록 주의해야 해요.

→ どこに行ってもそこのタブーを破らないよう注意しなくてはいけません。

❶ 금기 → 〈禁忌〉禁忌　　② 귀천 → 〈貴賤〉貴賤
③ 취향 → 〈趣向〉趣向　　④ 멸시 → 〈蔑視〉蔑視

Point ①の금기를 깨다は「禁忌を破る」という意でこれが正答。③を選んだ受験者が一定数いたが취향「趣向」は基本的に個人的なものであるし、깨다「壊す、破る」とは結びつかないので誤答である。②の귀천「貴賤」や④の멸시「蔑視」も깨다とは結びつかない。

2) 별것도 아닌 일에 (**2**)를/을 부리면서 문을 쾅 닫고 나가 버렸다.

→ たいしたことでもない問題に腹を立てて、門をバンと閉めて出て行ってしまった。

① 엄살 → (痛み、苦しみを)大げさに訴えること
② 끼 → 色気
❸ 성깔 → 性悪
④ 늑장 → ぐずぐずすること

解　答

Point ③성깔は「性悪、たちの悪い性格」という意。성깔을 부리다で「陰険に振る舞う」という意味になる。①の엄살을 부리다は「痛み・苦しみなどを大げさに訴える、またはそんな態度の言葉」という意で、この文では不自然なので誤答となる。

3）（ 3 ）있는 일이었지만 그날따라 유난히 신경에 거슬렸다.

→ しょっちゅうあることだったがその日に限って特別気に入らなかった。

① 여간 → 並大抵の　　② 지레 → 前もって
③ 정녕 → 間違いなく　　❹ 노상 → いつも

Point ④노상は「いつも、常に、ふだん」という意の副詞。①の여간は普通、後ろに否定の語を伴って「並大抵の～ではない、非常に～だ」という意味で用いられる。②の지레は「前もって、先立って」という意で、별일 아닌데 지레 겁먹지 마「大したことじゃないのに今から怖がるなよ」のように用いられる。③の정녕〈丁寧〉は話し言葉ではほとんど用いられない副詞で「間違いなく、きっと」という意。

4）원래 학문이나 공부는 고통을（ 4 ）지루한 것이라는 이미지가 있어요.

→ もともと学問や勉強は、苦痛を伴う退屈なものというイメージがあります。

① 득달하는 → 〈得達-〉到達する
② 지목하는 → 〈指目-〉目をつける
③ 도모하는 → 〈圖謀-〉図る

❹ 수반하는 → 〈随伴-〉伴う

Point ④の수반하다は漢字のとおり「随伴する、伴う」という意でこれが正答。③の도모하다もやはり漢字のとおり「目論み企てる、図る」という意なので、ここでは不自然となる。도모하다は「伴う」の意と勘違いされがちなので注意されたい。

5）장학금 덕분에 내 돈은 한 푼도 （ 5 ） 않고 유학을 가게 됐어요.

→ 奨学金のおかげで、自分のお金は一銭も使わずに留学に行くことになりました。

① 휘갈기지 → ぶん殴る　❷ 축내지 → 減らす
③ 설치지 → しそびれる　④ 물려주지 → 譲る

Point 正答の②축내다はお金などに用いられて「(少しずつ使って)減らす、足りなくさせる」という意を表す。

6）동창생들을 만나 간만에 （ 6 ） 시간을 가졌다.

→ 同級生に会って、久々に充実した時間を過ごした。

❶ 오붓한 → 心豊かな　② 거룩한 → 高潔な
③ 나긋한 → 柔らかい　④ 멀쑥한 → ひょろっとした

7）공연 일정이 （ 7 ） 휴일도 없이 연습을 계속해야겠습니다.

→ 公演の日程が差し迫っていて、休みもなしに練習を続けなければいけません。

解　答

① 조촐해서 → こざっぱりして
❷ 촉박해서 → 切迫して
③ 장황해서 → 長ったらしくて
④ 출출해서 → 空腹で

8）잔디밭엔 새싹이 （ 8 ） 돋아나기 시작했다.
→ 芝生には新芽が青々と生え始めた。

① 주룩주룩 → ざあざあと　② 말랑말랑 → ふわふわと
❸ 파릇파릇 → 青々と　④ 푸석푸석 → ぼろぼろと

Point 正答の選択肢③파릇파릇はところどころに青々と草木の新芽が生えている様子を表す語である。①と④を選んだ受験者が多かったが、①の주룩주룩は雨水がざあざあと降る音・様子を表す語、④の푸석푸석はばさばさ、ぼろぼろと砕けたりつぶれたりする音・様子や、肌に血色がなく腫れ気味で荒れている様子を表す語である。

9）먼동이 （ 9 ） 시작할 무렵 바람 소리에 놀라 잠이 깼다.
→ 夜が明け始める頃、風の音に驚き目が覚めた。

① 오르기 → 昇り　② 솟기 → そびえ
③ 뜨기 → 浮かび　❹ 트기 → 明け

Point 「東の空が白む、夜が明ける」の意を表す동〈東〉이 트다という慣用句があるが、問題文にある먼동はこの동に멀다が結合してできた言葉である。먼동の後ろに続きうる語は④の트다のみでこれが正答。

10) 열광적인 응원단이 세계인의 눈길을 (10).
→ 熱狂的な応援団が世界の人々の目を惹きつけた。

❶ 사로잡았다 → 捕らえた
② 뺐다 → 引き抜いた
③ 들였다 → 入れた
④ 넘겨다보았다 → のぞいて見た

2 ( ) 안에 들어갈 말로 가장 알맞은 것을 하나 고르십시오.

1) 화통을 삶아 먹었는지 하도 크게 말해서 (11) 줄 알았다.
→ 堪忍袋の緒が切れたのか、あんまり大きな声を出すのものだから、鼓膜がやぶれるかと思った。

① 몽니 부리는 → 意地悪をする
② 주접 떠는 → がっつく
③ 코 베이는 → ひどい目に遭う
❹ 귀청 떨어지는 → 鼓膜がやぶれる

解答

2）예전에는（ 12 ）셌는데 요즘은 기가 많이 죽은 것 같다.

→ 以前は権勢を振るっていたが、最近は大分衰えているようだ。

❶ 끗발이 → 勢いが　② 팔자가 → 運勢が
③ 집착이 → 執着が　④ 심보가 → 意地が

Point 끗발이 세다は「権勢を振るう」、팔자가 세다は「運が悪い」、집착이 세다は「執着が強い」、심보가 세다は「意地が悪い」という意。問題文の기가 죽다は「気が滅入る、勢いが弱まる」という意を表すので①が最も自然でありこれが正答。

3）아무리 자식이 귀하다고 그런 일까지 다 해 주면 어떡해요?（ 13 ）이라잖아요.

→ いくら子どもがかわいいからってそんなことまでやってあげたらどうするんですか。過ぎたるは及ばざるがごとしって言うじゃないですか。

① 갑론을박 → 〈甲論乙駁〉甲論乙駁
② 애걸복걸 → 〈哀乞伏乞〉平身低頭して哀願すること
❸ 과유불급 → 〈過猶不及〉過ぎたるはなお及ばざるがごとし
④ 주마간산 → 〈走馬看山〉大雑把に見て通ること

4）（ 14 ），최근에 중소형 오피스텔의 인기는 폭증했지만 실제로 거래가 성사되는 경우는 별로 없다고 한다.

→ 評判の高い宴会に食べる物は無いと、最近中小型オフィステルの人気が急上昇したが、実際に取引が成就する場合はあまり無いという。

① 가지 많은 나무 바람 잘 날 없다고

→ 子どもが多い親は心配が尽きないと

❷ 소문난 잔칫집에 먹을 게 없다고

→ 評判の高い宴会に食べる物は無いと

③ 평안 감사도 저 싫으면 그만이라고

→ どんなに結構なことでも本人が気に入らないのならそれまでと

④ 뱁새가 황새를 따라가면 다리가 찢어진다고

→ 鵜(う)の真似をする烏(からす)水におぼれると

3 밑줄 친 부분과 바꾸어 쓸 수 있는 것을 하나 고르십시오.

1) 이제 계좌를 개설하는 절차가 대충 마무리된 것 같아요.

→ もう口座開設の手続きがおおよそ終わったようです。 15

① 일체 → 一切

❷ 얼추 → 大体

③ 무릇 → 概して

④ 시나브로 → 少しずつ

2) 일자리를 잃을까 두려워서 상사에게 말 한마디도 제대로 못 했다. 16

→ 職を失うかと怖くて、上司にろくに一言も言えなかった。

① 몰매를 맞을까 → 袋叩きに合わないか

② 배앓이를 할까 → 腹痛を起こさないか

解　答

❸ 밥줄이 끊어질까　→ 職を失うかと

④ 목이 멜까　→ 喉が詰まらないか

3）귀찮은 일에 얽히지 않으려고 몸을 사리는 태도를 보이는 경우가 많았다. 17

→ 面倒なことに関わらないよう、用心深い態度を見せる場合が多かった。

❶ 복지부동의　→〈伏地不動-〉事なかれ主義な

② 학수고대의　→〈鶴首苦待-〉首を長くして待つ

③ 비일비재의　→〈非一非再-〉一度や二度ではない

④ 혈혈단신의　→〈孑孑單身-〉身寄りのない

4）결국 올림픽 선수가 됐다며? 어렸을 때부터 남다른 구석이 있었다니까. 18

→ 結局オリンピック選手になったんだって？ 小さい時から人とは違うところがあったんだよな。

❶ 될성부른 나무는 떡잎부터 알아본다니까

→ 栴檀(せんだん)は双葉より芳(かんば)しってね

② 빈 수레가 요란하다니까

→ 中身のない人間ほど知ったかぶって騒ぐんだってね

③ 모난 돌이 정 맞는다니까

→ 出る杭は打たれるってね

④ 핑계 없는 무덤 없다니까
→ 盗人にも三分の理ってね

4 (　　) 안에 들어갈 말로 가장 알맞은 것을 하나 고르십시오.

1) 설마 도산하지는 않을 테니까 쓸데없는 염려(19) 하지 마세요.
→ まさか倒産はしないだろうから要らない心配(19)やめてください。

① 마따나 → の言うとおり　② 나마 → だけでも
③ 커녕 → はおろか　❹ 일랑 → なんかは

Point 正答④の일랑は「～こそは、(特に)～なんかは」という強調の意を表す。①の마따나は말、말씀などの語について「～の言うように、～の言うとおり」という意を表す。②の나마は「～でも、～だけでも」という譲歩の意、③の커녕は普通-는커녕/-은커녕の形で用いられ「～はおろか、～どころか」という意を表す。

2) 나이 사십줄이 넘어서 이런 수모를 다 겪다니 이게 무슨 (20).
→ 40歳を超えてこんな侮辱を受けるなんて、なんて(20)。

① 꼴이라니까는 → ざまだってば

解　答

❷ 꼴이람　→ ざまなのか
③ 꼴일라나　→ ざまだろうか
④ 꼴이겠구먼　→ ざまだろうな

Point 正答②の-람は「～なのか、～だと言うのか」と問いかける形で、軽くなじったり独り言での疑問・感嘆に用いられる。③を選んだ受験者が一定数いたが、-(으)ㄹ라나は未だ実現していない事態や不確実な出来事についての推量を含む疑問形式なので、ここでは不自然である。

3) 살갑게 굴지는 (21) 퉁명스럽게 대하지는 말아야지.
→ 優しくは(21)無愛想な態度で接してはいけない。

❶ 못할망정　→ できなくとも
② 못하는 셈 치고　→ できないとして
③ 못하느니만치　→ できないのだから
④ 못할라 치고　→ できないとして

4) 우두커니 앉아만 있다 오려면 (22)
→ ぼうっと座っているだけで帰ってくるのなら(22)

❶ 안 가느니만 못하죠.
→ 行かない方がましでしょう。

② 안 가고도 남아요.
→ 行かなくても余りありますよ。

③ 안 가도 너무 안 가요.

→ 行かないにしても行かなさすぎです。

④ 안 간달 게 있어요?

→ 行かないなんてことありますか。

Point 正答①の-느니만 못하다は-는것만 못하다と同様に「～するには及ばない、～した方がましだ」という意を表す慣用表現。②の-고도 남다は充分にそうし得ることを表すのでここでは誤答となる。

5 (　　　) 안에 들어갈 말로 알맞지 않은 것을 하나 고르십시오.

1) 너무도 오래된 일이라 기억이 (23) 상태입니다.
→ あまりに昔のことで記憶が(23)状態です

① 아련한 → おぼろげな
❷ 어수룩한 → 純朴な
③ 아리송한 → はっきりしない
④ 어렴풋한 → ぼんやりした

Point ①、③、④の아련하다、아리송하다、어렴풋하다は全て記憶がおぼろげではっきりしないことを表す言葉ことば。②の어수룩하다は「うぶだ、無邪気だ、純朴だ」という意で、記憶とは結びつかないのでこれが正答。

解　答

2）불이라도 났는지, 건너편에서 사람들이（ 24 ）을 떨고 있다.

→ 火事でも起こったのか、向こう側で人々が（ 24 ）振る舞っている。

❶ 기승 → 勝ち気　　② 수선 → 騒々しいこと

③ 부산 → せわしげなこと　　④ 법석 → 騒ぎ立てること

Point ②、③、④の수선、부산、법석は全て떨다と結びついて騒々しく騒ぎ立てること・せわしげなことを表す。①の기승을 떨다は「勝ち気な行動をする；勝手気ままに振る舞う」という意なのでこれが正答。

3）（ 25 ）안 들어 줄 수가 없었다.

→（ 25 ）聞いてあげないわけにいかなかった。

① 어찌나 졸라대는지

→ しつこくねだるので

② 하도 간청하는 바람에

→ ひどく懇願するので

③ 떼를 쓰고 투정하는데

→ だだをこねるので

❹ 누가 보챈달까 봐서

→ 誰かにせがんでいると言われそうで

Point ④はせがんだのは誰で聞いてあげたのは誰なのか分らない、不自然な文になってしまう。

6 밑줄 친 부분의 쓰임이 틀린 것을 하나 고르십시오.

1）누르다 26

① 어머니는 항상 밥을 꾹꾹 눌러 담아 주셨다.
→ 母はいつもご飯をぎゅっぎゅっと押さえつけて詰めてくださった。

② 당분간 친구 집에 눌러 살기로 했어요.
→ 当分の間友だちの家で暮らし続けることにしました。

❸ 가장 중요한 내용을 눌러(×)→짚어(○) 놓아야겠어요.
→ 一番重要な内容を押さえておかなきゃいけません。

④ 상대 후보를 근소한 차이로 누르고 의원에 당선됐다.
→ 相手の候補を僅差で押さえて議員に当選した。

Point 누르다は「押す；押さえつける；押さえる；抑える；引き続き」の意。③は중요한 내용을 짚어(○) 놓아야겠어요が正しい表現。

2）붙다 27

① 내향적이던 아들이 애인이 생기니까 자신감이 붙은 것 같아요.
→ 内向的だった息子が恋人ができると自信がついたみたいです。

② 걔가 별로 공부도 안 하면서 대학에 붙었대.
→ あいつ別に勉強もしてないのに大学に受かったんだって。

③ 집에만 붙어 있지 말고 어디 좀 나갔다 와.
→ 家にばかりいないでちょっとどこか出かけてきな。

解 答

❹ 바지에 얼룩이 붙어서(×)→묻어서(○) 좀처럼 지워지지 않는다.

→ ズボンにシミがついてなかなか消えない。

Point 붙다は「つく、くっつく;合格する;居つく、じっとしている;(感情などが)生じる、起こる;憑りつく;対戦する」など様々な意を表す。「液体やごみ・粉・糊・垢などがつく」の場合は붙다ではなく묻다が用いられるので、④は얼룩이 묻어서(○)「シミがついて」が正しい表現。

7 밑줄 친 부분의 말과 가장 가까운 뜻으로 쓰인 문장을 하나 고르십시오.

1) 자리가 자리이다 보니 점잔을 뺄 수밖에 없었어요. 28

→ 場所が場所なだけに上品ぶるしかありませんでした。

① 이 경기가 무슨 결승전이라고 그렇게 힘 빼고 있어?

→ 決勝戦でもないのに何をそんなに頑張ってるの。

❷ 평소와 달리 얌전을 빼는 모습이 눈꼴사나웠다.

→ 普段と違っておとなしそうなふりをする姿がみっともなかった。

③ 넌 목소리까지 제 아버지를 쏙 뺐구먼.

→ お前は声まで父親にそっくりだなあ。

④ 무슨 좋은 일이라도 있는지 새 옷을 쫙 빼 입고 나갔다.

→ 何かいいことでもあるのか、新しく買った服を着こなして出て行った。

Point 多義語の意味を問う問題。ここでは②が正答。問題文の빼다は점잔と共に「気取る、すます、上品ぶる」といった意で用いられている。①の힘을 빼다は「力を出す、頑張る」、②の얌전을 빼다は「気取る、上品ぶる」、③の아버지를 빼다は「父親に似る」、④の옷을 빼다は「服を着こなす、おめかしする」という意味なので②が正解である。

2) 아무리 급해도 그렇지 예의는 <u>차려야지요</u>. **29**

→ いくら急いでいても礼儀は<u>わきまえなきゃだめでしょ</u>。

❶ 체면이라도 <u>차리느라고</u> 밥을 조금만 먹었더니 배고파요.

→ 体面でも<u>繕おうと</u>ご飯を少ししか食べなかったから空腹です。

② 아침은 다 <u>차렸으니까</u> 얼른 세수하고 와.

→ 朝ご飯の準備は<u>できてるから</u>さっさと顔洗っておいで。

③ 도심을 벗어난 곳에 신혼 살림을 <u>차리고</u> 산대요.

→ 都心を抜けた所に新婚の所帯を<u>構えて</u>暮らしてるそうです。

④ 제 욕심만 <u>차리려는</u> 개가 밉살맞기 그지없었어요.

→ 自分の欲ばかり<u>満たそうとする</u>あいつが、この上なく憎らしかったんです。

解　答

8 다음 문장들 중에서 가장 자연스러운 것을 하나 고르십시오.

1）　　**30**

❶ 올해부터 술집하고는 발을 끊고 가정에 충실하기로 했다.

→ 今年から酒屋とは縁を切って家庭に忠実になろうと決めた。

② 권세나 잡은 듯이 허세를 펴는(×)→부리는(○) 형세가 꼴불견이었다.

→ 権力でも掴んだかのように虚勢を張る姿が見るに堪えなかった。

③ 내 말을 듣고 안달이 돼서(×)→나서(○) 혼자 가겠다고 우기더라.

→ 私の話を聞いて苛立っちゃって一人で行くって言い張ってたよ。

④ 네가 내 편을 잡아(×)→들어(○) 줬으니 망정이지 완전히 사면초가였어.

→ お前が私の味方をしてくれたからよかったものの、完全に四面楚歌だったよ。

Point ①の발을 끊다は「関係を断つ」の意を表す慣用句。②は허세를 펴는(×)→허세를 부리는(○)「虚勢を張る」、③は안달이 돼서(×)→안달이 나서(○)「イライラして」、④は편을 잡아(×)→편을 들어(○)「味方をして」が正しい表現。

2） 31

① 하필(×)→이왕(○) 등산을 온 김에 주변 경치는 보고 가야죠.

→ せっかく登山しに来たんだから、周辺の景色は見て行かないと駄目でしょう。

❷ 웬만하면 애하고 같이 그냥 집에 있는 게 어때?

→ よかったら子どもと一緒にそのまま家にいればどう？

③ 불현듯(×)→가뜩이나(○) 불안해 하고 있었는데 기어이 일이 터져 버렸다.

→ そうでなくても不安だったのに、とうとうことが勃発してしまった。

④ 행여나(×)→안그래도(○) 큰 그의 두 눈이 더욱 껌뻑거리는 것이었다.

→ ただでさえ大きな彼の両目が、更にぱちぱちするのであった。

Point ①の하필〈何必〉は「どうして、よりによって何故、何の必要があって」という意で、하필 왜 네가 왔어？のように疑問文で用いられることが多い。③の불현듯は「火をつけたように」から転じて「ふと、突然、だしぬけに」という意を表す副詞。④の행여나は행여の強調形で「うまい具合にちょうど、ひょっとしたら、もしかすると」の意。例えば행여나 그가 다시 나타나지나 않을까のように用いられる。

3） 32

❶ 드라마에서나 있을 법한 이야기가 허구가 아니라니.

→ ドラマでだけありそうな話がフィクションじゃないなんて。

解　答

② 심각한 차질이 없는데야(×)→없는 바에(○) 그대로 추진하자.

→ 深刻なミスが無いんだから、そのまま推し進めよう。

③ 학생들에게 ＰＣ로 자료를 열람한답시고(×)→열람할 수 있도록(○) 편의를 제공하고 있다.

→ 学生たちにパソコンで資料を閲覧できるよう便宜を提供している。

④ 과로로 몸살이 날진대(×)→났을 텐데(○) 무리해서 와주셨네요.

→ 過労で体調がよくないだろうに、無理して来てくださったんですね。

Point ②の－는데야は가라고 애원하는데야 별수 없지のように後ろに「どうしようもない」といった内容が続くのが自然である。③の－ㄴ답시고は「～するからと言って、～するとか言って」という意で皮肉る時に用いる。④の－(으)ㄹ진대は「～するならば、～するからには」という根拠・条件の意。

9 (　　　) 안에 들어갈 표현으로 가장 알맞은 것을 하나 고르십시오.

1) A：이번 학기에는 동아리 활동을 좀 해 볼까 해.

B：아니, 왜? 무슨 바람이 불었어?

A：그게, 선배가 너무 좋다고 권하더라고. 거기서 남자 친구까지 생겼다나.

B：진짜? 나도 그 동아리에 들어가면 안 될까?

A：너 혹시 (33)

B：어떻게 알았어?

→ A：今学期はちょっとサークル活動やってみようと思う

B：え、何？　どういう風の吹き回し？

A：それがさ、先輩がめっちゃいいって誘ってきたんだ。そこで彼氏までできたとか。

B：本当に？　私もそのサークル入っちゃだめ？

A：お前もしかして(33)

B：なんで分かったの？

① 남의 떡이라 더 커 보이는 거 아니야?

→ 他人の餅の方が大きく見えてるんじゃないの。

② 선무당이 사람 잡는 거 아니야?

→ 生兵法(なまびょうほう)は大怪我(けが)のもとなんじゃないの。

❸ 잿밥에 더 관심이 있는 거 아니야?

→ 供え物の方が気になってるんじゃないの。

④ 몸이 근질근질해서 그러는 거 아니야?

→ 体がむずむずしてるんじゃないの。

2) A：그 영화 봤다면서요? 저도 소재가 좋은 것 같아서 꼭 봐야지 하고 있었는데 아직 못 봤거든요.

B：우리말의 소중함을 다시 한번 느낄 수 있는 좋은 영화였어요. 재미있으면서도 감동과 교훈을 주는 영화라고나 할까요?

解 答

A：그런데 실화를 바탕으로 했다고 들었는데 각색을 너무 많이 했다는 평도 있던데요.

B：사실감은 조금 떨어지지만 재미도 추구해야 되니까요.

A：(34)

B：그럼요.

→ A：あの映画観たんですって？ 私も題材が良さそうで観なきゃって思ってたんですけどまだ観てないんです。

B：国語の大事さを改めて感じられるいい映画でしたよ。面白いと同時に感動と教訓を与えてくれる映画っていうか。

A：でも実話を基にして作ったって聞いたんですけど、脚色し過ぎてるっていう評価もあるみたいですね。

B：リアリティはちょっと落ちるけど、面白さも追及しなきゃダメですからね。

A：(34)

B：そうですね。

① 실화 영화에서는 역시 사실감이 기본이죠.

→ ノンフィクション映画ではやっぱりリアリティが基本ですよね。

② 봤으면 좋겠는데 보러 갈 겨를이 있어야죠.

→ 観られればいいんですけど観に行く暇が無いんです。

❸ 하긴 영화니까 각색이 있는 거는 당연하겠죠.

→ 確かに映画だから脚色があるのは当たり前ですよね。

④ 전 내용의 재미도 중요하겠지만 소재가 마음에 안 들거든요.

→ 私は内容の面白さも大事だと思いますけど、題材が気に入らないんです。

3) A：아들이 집에서 말도 별로 하지 않고 질문에도 두세 마디 정도밖에 대답을 안 해요.

B：그건 자신이 겪는 문제를 말로 표현하는 방법을 잘 몰라서 그러는 게 아닐까요?

A：그런가요? 그러면 어떻게 해야 좋을까요?

B：글쎄요. 평소에 아이하고 소통이 부족하다면 일주일에 한 번은 아이 얘기를 들어주는 시간을 만들면 어때요?

A：(35)

B：어렵더라도 자리 한번 마련해 보세요. 그러면 아이도 부모가 자기를 믿고 이해해 준다고 생각해서 마음을 열 거예요.

→ A：息子が家で口数も少ないし質問にも二言三言しか答えてくれないんです。

B：それは自分の問題を言葉で表現する仕方がよく分からないんじゃないですか。

A：そうなんですかね？ じゃあどうすればいいでしょうか。

B：そうですね。普段からお子さんとのコミュニケーションが足りないなら、週に一度は子どもの話を聞く時間を作ってみるのはどうですか。

A：(35)

B：難しくてもそういう機会を作ってみてください。そうしたら息子さんも親が自分を信じて理解してくれると思って、心を開くと思いますよ。

解 答

❶ 내가 계속 나가 있다 보니까 그런 시간을 내기 힘들 것 같은데.

→ 私が外に出ていることが多くて、そんな時間は取れないと思うんですけど。

② 그런 건 일주일에 한 번이 아니라 매일이라도 해야죠.

→ それなら週に一度じゃなくて毎日でもやるべきですね。

③ 그렇잖아도 한 번 아이하고 진지하게 이야기를 나눠 봤어요.

→ そうじゃなくても一度子どもと真剣に語り合ってみたんです。

④ 만약에 시간을 줘도 아이가 말로 표현하지 않는다면 그럴 수밖에요.

→ もし時間を与えても子どもが言葉で表現しなかったらそうするしかないですね。

4) A：또 인터넷 옥션에서 뭘 사려구요?

B：이 골프 클럽 어때? 100만 원에 살까 하는데.

A：어머, 비싸네. 돈은 어떻게 마련하려고요.

B：낙찰 대금을 마련하지 못하는 회원들을 위한 대출 서비스가 있거든.

A：(36)

B：또 누가 꿔 주지 않을라나?

A：세상에.

→ A：またインターネットオークションで何か買うんですか。

B：このゴルフクラブどうかな。100万ウォンで買おうと思うんだけど。

A：ええっ、高いわ。お金はどうやって工面する気ですか。
B：落札代金を用意できない会員のための貸与サービスがあるんだ。
A：（ 36 ）
B：誰かまた貸してくれないかな？
A：まったく。

① 그러다 백만 원을 밑지겠네.
→ そうやって100万円損するわよ。

❷ 대출이라니, 그건 또 어떻게 갚게요?
→ 貸与サービスって、それはまたどうやって返すつもりですか。

③ 골프 클럽을 인터넷으로 대여해 주는 곳도 있데요.
→ ゴルフクラブをインターネットで貸し出してくれるところもあるみたいですよ。

④ 우리 같은 집안에 골프 클럽이 다 뭐예요.
→ うちみたいな家庭にゴルフクラブなんて。

10 다음 글을 읽고【물음１】～【물음２】에 답하십시오.

나는 학생 책가방 안에는 그날 수업에 필요한 필기구며 교과서가 들어 있을 것으로 생각한다. （A） 그런데 요새 학생들 가방에는 교과서가 들어 있지 않는 것 같다. 스마트폰, 태블릿ＰＣ처럼 가볍고 어디서나 인터넷에 쉽게 접속할 수 있는 장비들이 대중화되면서 굳이 무겁고 제한적인 정보를 싣고 있는 교과서를 가지고 다닐 필요가 사라졌다. （B） 이미 두꺼운 책을 펼

解 答

쳐 들고 앉아서 정독하는 시대는 지난 것 같고, 책보다는 작은 태블릿ＰＣ의 화면이 더욱 익숙해진 것도 분명해 보인다. (C)

하지만 태블릿의 시대라고 해서 정리된 것만 요약해서 짧은 시간에 이해하려고 하는 것은 분명 문제가 있다. 내가 걱정하는 것은 책의 전후를 읽어 가면서 얻게 되는, 답 외의 과정을 지금은 놓치고 있지 않나 하는 것이다. 빠르게, 효율적으로, 인쇄까지 되어 버리는 현 세태에 아쉬운 부분이다. (D)

한 연구 결과에 따르면, 손으로 글씨를 쓰며 학습하는 것이 컴퓨터를 이용하여 학습하는 것보다 두뇌 발달, 학습 발달에 도움이 된다고 한다. 정보의 바다에서 쉽고 빠르게 학습하는 것도 좋지만, 전후 내용을 뒷받침할 부연 설명, 전개 과정까지 이해할 수 있어야 이보다 더 나은 발전을 기대할 수 있을 것이다.

[日本語訳]

私は学生のカバンの中にはその日の授業に必要な筆記用具や教科書が入っているものと考えている。(A)しかし最近の学生たちのカバンには教科書が入っていないらしい。スマートフォン、タブレットＰＣのように軽くてどこでもインターネットに簡単に接続できる装備が大衆化されると同時に、あえて重くて限定的な情報を載せている教科書を持って歩く必要がなくなった。(B)既に分厚い本を広げて座って精読する時代は過ぎたようであるし、本よりは小さなタブレットＰＣの画面がより身近になったのも明らかと思われる。(C)

それでもタブレットの時代だからといって、整理されたものばかり要約して、短い時間で理解しようとするのは間違いなく問題がある。私が憂慮しているのは本の前後を読んでいきながら得られる、答え以外の過程を今は見落としてはいないかということである。早く、効率的に、印刷までできてしまう現状において惜しいところである。(D)

ある研究結果によれば、手で文字を書きながら学習する方が、パソコンを利用して学習するよりも頭脳の発達、学習の発達の手助けになるという。情報の海で簡単に早く学習するのも良いが、前後の内容を支える敷衍(ふえん)説明、展開の過程まで理解できてこそ、更なる発展を期待できるだろう。

【물음 1】 본문에서 다음 문장이 들어갈 위치로 가장 알맞은 것을 하나 고르십시오. **37**

> 책을 읽으며 얻은 지식을 서로 나눌 때 같은 답이라 할지라도 조금은 서로 다른 해석과 접근 방법을 배우게 되고 창조적인 아이디어가 나오게 될 것이다.

→ 本を読みながら得た知識を互いに分け合う時、同じ答えと言えども少しは異なる解釈とアプローチの方法を学ぶことになり、クリエイティブなアイディアが出てくるだろう。

① (A)　② (B)　③ (C)　❹ (D)

解　答

【물음 2】 본문의 내용과 일치하지 않는 것을 하나 고르십시오.

38

① 인터넷에 접속하는 장치들이 일반화돼서 학생들 가방에서 교과서가 사라진 것 같다.

→ インターネットに接続する装置が一般化して、学生たちのカバンから教科書が消えたようだ。

② 학생들은 이제 교과서보다 태블릿ＰＣ 화면에 더 익숙해졌다.

→ 学生たちはもう教科書よりもタブレットＰＣの画面によりなじみがある。

❸ 책을 읽는 것은 그 과정도 중요하지만 요점을 파악하는 것이 더 중요하다.

→ 本を読むことはその過程も大事だが要点を把握することがより重要である。

④ 컴퓨터를 이용하는 것보다 손으로 쓰며 학습하는 것이 두뇌를 더 발달시킨다.

→ パソコンを利用することよりも手で書きながら学習する方が頭脳をより発達させる。

11 다음 글을 읽고 【물음1】~【물음2】에 답하십시오.

(39)'나 예쁘죠? 모두 땅속의 뿌리 덕이랍니다.'라며 공치사라도 한 마디 던질 줄 아는 속 깊은 꽃이 어디 있나.

뿌리보다 성장 속도가 빠른 줄기와 가지, 그리고 무성한 잎새들. 이들의 무게를 머리에 이고 견디는 것은 뿌리의 몫이다. 장맛비가 폭포처럼 쏟아져도 끄떡없이 서 있는 나무들은 온전히 뿌리의 힘 때문이다.

등산로에 얽혀있는 뿌리들을 유심히 본다. 근육질의 남성 팔뚝처럼 우람한 모양의 뿌리가 보인다. 길고 야윈 채 마디마디가 불뚝 튀어나온 여인 손등 같은 뿌리도 있다. 거친 삶을 감내하던 엄마 손이 떠오른다. 땅 갈고 밭을 매던 손, 사시사철 세 끼 밥을 해대고 겨울 냇가에서 얼음물로 빨래를 하던 손. 터지고 갈라진 손.

그 손으로 키워낸 자식들이 꽃으로 피고 튼실한 열매로 맺혀도 엄마는 생색 한 번 낸 적이 없다. 엄마의 공을 잊은 채, 제 잘난 양 살아가는 자식들에게 서운한 눈길 한 번 보낸 적도 없다.

어릴 적, 하루의 고단함을 벗어나 잠자리에 들 때 소망으로 읊조리던 엄마의 혼잣말이 아직도 귀에 선연하다.

'이 밤이 한 대엿새 갔으면 원이 없겠다.'

길고 어두운 밤을 기원했던 엄마, (40)그 원이 이루어진 건가. 칠흑 같은 뿌리의 영토에 묻혀 긴 잠 주무시고 있다.

解答

[日本語訳]

39「私、きれいでしょ？　全部土の中の根っこのおかげなんです」と、人前で自慢でもしてくれる心優しい花がどこにあるだろう。

根よりも成長速度の早い幹と枝、そして生い茂る葉っぱたち。これらの重さを頭に載せ耐えるのは根の役目である。梅雨時の雨が滝のように降り注いでもびくともせずに立っている木々は、漏れなく根の力のおかげである。

登山道で絡み合っている根を注意深く見る。筋肉質の男性の腕っぷしのようにたくましい形の根が見えてくる。長く痩せて節々が飛び出している女性の手の甲のような根もある。辛い人生を耐え忍んできた母の手が思い浮かぶ。土を耕し畑の草取りをしていた手、年中三食のご飯を作り、冬の川では氷水で洗濯をしていた手。裂けて切れた手。

その手で育てた子どもたちが花となり強い実となっても、母は一度も恩に着せたことがない。母の功を忘れたまま、偉そうに生きていく子どもたちを残念な目で見たこともない。

幼い頃、一日の疲れから解放され寝床につく時に、願いと言って口ずさんでいた母の独り言が今も耳に鮮やかに残る。

「この夜が５、６日でも続けば、それ以上の願いは無いのに」

長く暗い夜を願った母、40その願いが叶ったのか。漆黒のような根の墓に埋まり、永い眠りについている。

【물음 1】 밑줄 친 39를 통해서 필자가 말하고자 한 내용으로 가장 알맞은 것을 하나 고르십시오. 39

① 어머니는 자식이 성공했다고 해서 대가를 바라지는 않는다.

→ 母親は子が成功したといって対価を求めはしない。

❷ 어머니의 은혜를 깊이 헤아리려는 자식은 보기 힘들다.

→ 母親の恩を深く慮る子はあまり見ない。

③ 어머니는 자식이 은혜를 잊고 살아가는 것을 서운하게 여기지 않는다.

→ 母親は子が恩を忘れ生きていくことを残念に思わない。

④ 어머니의 덕에 감사하지 않는 자식은 별로 없다.

→ 母親の恩恵に感謝しない子はいない。

【물음 2】 필자가 40'그 원이 이루어진 건가'라고 생각한 이유로 알맞은 것을 하나 고르십시오. 40

① 자식이 다 자라서 시름이 놓이기 때문에

→ 子が成人して一安心できるため

② 자연 속에서 한 숨 돌리는 시간이 마련됐기 때문에

→ 自然の中で一息つく時間ができたため

③ 다는 몰랐던 엄마의 고생을 이제는 내가 알기 때문에

→ 知りえなかった母の苦労を今では自分も分かるため

解　答

❹ 어머니가 영원한 쉼을 얻으셨기 때문에

→ 母親が永遠の休みを得たため

12 다음 글을 읽고【물음 1】~【물음 2】에 답하시오.

[북(北)의 문헌에서 인용]

어느 한 나라의 연구사들이 뇌는 많이 쓸수록 발달하지만 수면이 부족한 경우에는 오히려 뇌의 기능을 떨군다는것을 밝혀냈다.

연구사들이 실험을 진행한 결과 수면부족이 뇌의 기억능력을 크게 감소시켰다고 한다.

연구사들은 28명(18-30살)을 두패로 나누어 한패는 35시간이상 잠을 자지 못하게 하고 다른 패는 7-9시간동안 정상적으로 잠을 자게 하며 그들에게 여러 장의 사진을 보여주었다. 이틀이 지나자 수면부족상태에 있는 사람들은 정상적으로 잠을 잔 사람들에 비해 기억능력이 5분의 1정도로 떨어졌다.

(Ⓐ) 연구사들은 쥐들을 72시간 잠들지 못하게 한 다음 정상적으로 잠을 잔 쥐들과 비교하였다. (Ⓑ) 잠을 못 잔 쥐들은 코르티코스테론이 크게 늘어나면서 기억을 형성하는 뇌부위인 해마에서 증식되는 신경세포의 수가 크게 줄어든것을 발견하였다. (Ⓒ) 스트레스호르몬인 코르티코스테론이 늘어난데 있다.

한주일이 지나 수면은 정상상태로 되였지만 해마에서의 신경세포증식은 두주일후에야 회복되였다.

이번의 연구결과는 수면부족으로 인한 스트레스호르몬분비량의 증대가 뇌의 신경세포증식을 감소시킨다는것을 증명한것으로 된다.

따라서 연구집단은 오래동안 잠을 자지 못하였을 때 나타나는 집중력저하 등 일부 인식기능약화가 신경세포의 증식억제때문에 빚어지는것이라고 간주하고있다.

[日本語訳]

とある国の研究者たちが脳は多く使うほど発達するが、睡眠が不足している場合は逆に脳の機能を下げるということを明らかにした。

研究者たちの実験の結果、睡眠不足が脳の記憶能力を大きく減少させたという。

研究者たちは28人(18～30歳)を2グループに分け、一方は35時間以上眠らないようにさせ、もう一方は７～９時間正常に睡眠をとらせた上で彼女／彼らに何枚かの写真を見せた。二日後、睡眠不足状態にある被験者たちは正常に睡眠をとった被験者グループに比べ、記憶能力が５分の１程度に落ちた。

（ A ）研究者たちはネズミの集団を72時間眠らないようにさせた後、正常に睡眠をとらせたネズミの集団と比較した。（ B ）睡眠をとれなかったネズミたちはコルチコステロンが大幅に増えると同時に、記憶を形成する脳部位である海馬で増殖する神経細胞

解　答

の数が大幅に減ったのを発見した。(C)ストレスホルモンであるコルチコステロンが増えたことにある。

一週間が経ち睡眠は正常な状態に戻ったが、海馬での神経細胞の増殖は２週間後にようやく回復した。

今回の研究結果は、睡眠不足によるストレスホルモン分泌量の増大が、脳神経細胞の増殖を減少させるということを証明したことになる。

したがって研究グループは、長い間睡眠をとらないと現れる集中力低下など一部の認識機能弱化が、神経細胞の増殖抑制のためにもたらされるものであると考えている。

【물음１】 본문에서 A/B/C에 들어갈 말로 알맞은 것을 하나 고르십시오. 41

① A하지만　B그랬더니　C이것은
→ しかし　→ すると　→ これは

❷ A한편　B결과　C이런 현상은
→ 一方　→ 結果　→ このような現象は

③ A또한　B그러면　C이것은
→ また　→ それでは　→ これは

④ A그런데　B그 이유는　C따라서
→ しかし　→ その理由は　→ したがって

Point ②が正答。③を選んだ受験者が多かったが、Bに続く文が個別的な事実の継起・発見を表す文なので、ここに그러면が入るのは不自然

である。

【물음 2】 본문의 내용과 일치하지 않는 것을 하나 고르십시오. 42

① 정상적인 수면을 취한 사람들은 안 그런 사람들보다 기억 능력이 훨씬 높았다.

→ 正常な睡眠を取った人たちは、そうでない人たちよりも記憶能力がはるかに高かった。

❷ 스트레스 호르몬이 늘어난 결과로서 잠이 안 오고 신경세포가 감소된다.

→ ストレスホルモンが増えた結果として、眠気が来なくなり神経細胞が減少する。

③ 잠을 제대로 자지 못하면 코르티코스테론이 증가한다.

→ 睡眠を充分にとらなければ、コルチコステロンが増加する。

④ 뇌신경 세포 증식의 억제가 집중력 저하를 초래한다.

→ 脳神経細胞の増殖の抑制が、集中力低下を招く。

13 다음 문장들을 문맥에 맞게 일본어로 번역하십시오. 한자 대신 히라가나로 써도 됩니다.

1) 워낙에 파격적인 일이라 처음엔 저도 긴가민가했어요.

→ なにせ型破りな出来事なので、初めは私も本当かどうかはっきりしませんでした。

解　答

2）아무리 그래도 사람이 은혜를 원수로 갚으면 쓰나?

→ いくらなんでも恩を仇(あだ)で返しちゃだめじゃないか。

3）정신 상태가 해이해져서 그런지 요새 생뚱맞은 소리를 많이 하네.

→ 気が緩(ゆる)んでいるのか、最近よく突拍子(とっぴょうし)もない/突飛(とっぴ)なことを言うなあ。

4）신출내기인 제가 외람되게도 한 말씀 드리고자 합니다.

→ 駆け出しの／新米の私が、僭越(せんえつ)ながら一言申し上げたいと思います。

14 다음 일본어를 문맥에 맞게 번역하십시오. 답은 한 가지만을 한글로 쓰십시오.

1）この地域ならではの「持ちつ持たれつ」の関係も徐々に消えつつある。

→ 이 지역에서만 볼 수 있는 '상부상조'의 관계/ '서로 의지하며 서로 도와 주는' 관계도 서서히 사라지고 있다.

2）口車に乗せられたとわめいているが、私から言わせればお互い様だ。

→ 감언이설에 속았다고 떠들고 있지만 내 생각에는/내가 보기에는 피차일반이다.

3）景気は悪くなる一方で、わが家の家計は依然、火の車だ。

→ 경기가 나빠지기만 하니, 우리 집 살림은 여전히 궁색하다/쪼들린다.

4）料理の味にはうるさいけど、他はこだわらないよ。

→ 음식 맛에는 까다롭지만 다른 건 신경 안 써.

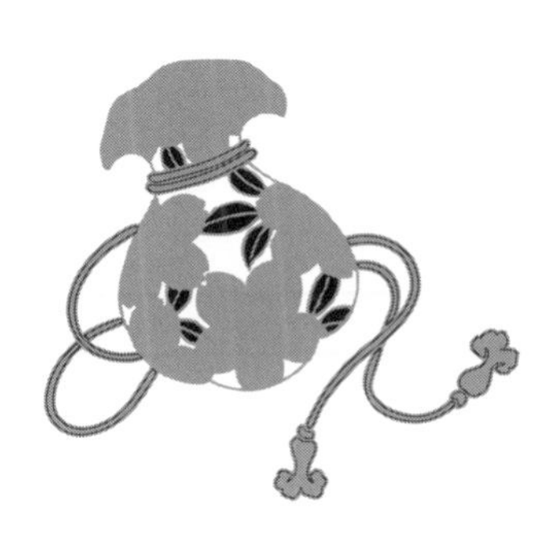

1級聞きとり・書きとり 正答と配点

●40点満点

問題	設問	マークシート番号	正　答	配　点
1	1)	1	②	2
	2)	2	①	2
2	1)	3	④	2
	2)	4	①	2
3	1)	5	③	2
	2)	6	③	2
4	1)	7	③	2
	2)	8	③	2
5	【물음1】	9	②	2
	【물음2】	10	①	2
6	【물음1】	11	③	2
	【물음2】	12	①	2
7	1)①、②	記　述　式		2
	2)①、②			2
	3)①、②			2
	4)①、②			2
8	1)①、②	記　述　式		2
	2)①、②			2
	3)①、②			2
	4)①、②			2
合計	20			40

1級筆記　正答と配点

●60点満点

問題	設問	マークシート番号	正答	配点
1	1)	1	①	1
	2)	2	③	1
	3)	3	④	1
	4)	4	④	1
	5)	5	②	1
	6)	6	①	1
	7)	7	②	1
	8)	8	③	1
	9)	9	④	1
	10)	10	①	1
2	1)	11	④	1
	2)	12	①	1
	3)	13	③	1
	4)	14	②	1
3	1)	15	②	1
	2)	16	③	1
	3)	17	①	1
	4)	18	①	1
4	1)	19	④	1
	2)	20	②	1
	3)	21	①	1
	4)	22	①	1
5	1)	23	②	1
	2)	24	①	1
	3)	25	④	1

問題	設問	マークシート番号	正答	配点
6	1)	26	③	1
	2)	27	④	1
7	1)	28	②	2
	2)	29	①	2
8	1)	30	①	1
	2)	31	②	1
	3)	32	①	1
9	1)	33	③	1
	2)	34	③	1
	3)	35	①	1
	4)	36	②	1
10	【물음1】	37	④	1
	【물음2】	38	③	1
11	【물음1】	39	②	1
	【물음2】	40	④	1
12	【물음1】	41	②	1
	【물음2】	42	②	1
13	1)	記　述　式		2
	2)			2
	3)			2
	4)			2
14	1)	記　述　式		2
	2)			2
	3)			2
	4)			2
合計	50			60

〈1급 2차면접시험 과제문〉

실패의 교훈

실패 없는 인생은 없다. 살면서 누구든지 몇 번의 실패의 고배를 마신다. 인생에는 도처에 실패라는 함정이 깔려 있다.

우리 앞에도 여러 종류의 실패가 놓여 있다. 입시의 실패, 취직의 실패, 연애의 실패, 결혼의 실패, 사업의 실패, 가정의 실패… 이 세상에 한 번도 실패 없이 인생을 마친 사람은 없을 것이다.

종종 주변에서 입시나 취직에 실패한 사람들을 볼 수 있다. 희망에 가득 찼던 젊은이가 인생 벽두부터 난관에 부딪혀 실의에 빠져 있는 것을 볼 때, 동정과 안타까움을 금할 수 없다.

그러나 우리는 누구나 인생에서 몇 번의 실패를 경험한다는 사실을 알아야 한다. 인생이 맑은 날만 계속되는 것은 아니다. 인생은 성공보다 오히려 실패할 때가 더 많다. 그것이 인생의 현실이다. 나보다 더한 실패자도 많다는 것을 알고, 스스로 괴로움을 위로하는 마음을 가질 줄 알아야 한다.

우리는 오히려 실패에서 교훈을 얻어야 한다. 실패를 할 때는 반드시 그럴 만한 원인이 있다. 경솔해서 실패하는 사람이 있고, 분수에 넘치는 허욕과 오기로 실패하는 경우도 있다. 지혜로운 사람은 실패에서 귀중한 교훈을 얻는다. 실패는 결코 부끄러운 일이 아니다.

問題

경험은 인생의 가장 소중한 스승이다. 특히 실패의 경험은 우리에게 많은 것을 가르쳐 준다. 그러므로 우리는 실패에서 슬기로운 지혜와 교훈을 배우는 총명한 인간이 되어야 한다. 그러한 사람만이 실패를 성공의 도약대로 삼을 수 있다.

第53回 翻訳

［1級2次面接試験　課題文　日本語訳］

失敗の教訓

失敗のない人生は無い。生きる中で誰しも、何度かの失敗の苦杯を喫する。人生には至る所に失敗という罠が潜んでいる。

私たちの前にも様々な種類の失敗がある。入試の失敗、就職の失敗、恋愛の失敗、結婚の失敗、事業の失敗、家庭の失敗…　この世に一度も失敗なく人生を終えた人はいないだろう。

時折周りで入試や就職に失敗した人たちを見ることができる。希望に溢れていた若者が、人生の始まりから難関にぶつかり失意に陥ているのを見る時、同情とやるせない気持ちを禁じ得ない。

しかし私たちは誰しも人生で何度かの失敗を経験するという事実を知らなくてはならない。人生は明るい日だけ続くのではない。人生は成功よりも、むしろ失敗する時がもっと多い。それが人生の現実だ。自分よりひどい失敗経験者も多いことを知り、自ら苦しみを慰める心構えを持つべきだ。

私たちは、むしろ失敗から教訓を得なくてはならない。失敗する時は必ずそれ相応の原因がある。軽率であるため失敗する人がいるし、分をわきまえない愚かな欲と意地を張って失敗する場合もある。知恵のある人は失敗から貴重な教訓を得る。失敗は決して恥ずかしいことではない。

経験は人生の大切な師匠である。特に失敗の経験は、私たちに

翻 訳

多くのことを教えてくれる。なので私たちは失敗から賢い知恵と教訓を学ぶ聡明な人間にならなくてはならない。そのような人だけが、失敗を成功への跳躍台とすることができる。

반절표(反切表)

	【1】	【2】	【3】	【4】	【5】	【6】	【7】	【8】	【9】	【10】
母音 / 子音	ㅏ [a]	ㅑ [ja]	ㅓ [ɔ]	ㅕ [jɔ]	ㅗ [o]	ㅛ [jo]	ㅜ [u]	ㅠ [ju]	ㅡ [ɯ]	ㅣ [i]
【1】 ㄱ [k/g]	가	갸	거	겨	고	교	구	규	그	기
【2】 ㄴ [n]	나	냐	너	녀	노	뇨	누	뉴	느	니
【3】 ㄷ [t/d]	다	댜	더	뎌	도	됴	두	듀	드	디
【4】 ㄹ [r/l]	라	랴	러	려	로	료	루	류	르	리
【5】 ㅁ [m]	마	먀	머	며	모	묘	무	뮤	므	미
【6】 ㅂ [p/b]	바	뱌	버	벼	보	뵤	부	뷰	브	비
【7】 ㅅ [s/ʃ]	사	샤	서	셔	소	쇼	수	슈	스	시
【8】 ㅇ [無音/ŋ]	아	야	어	여	오	요	우	유	으	이
【9】 ㅈ [tʃ/dʒ]	자	쟈	저	져	조	죠	주	쥬	즈	지
【10】 ㅊ [tʃʰ]	차	챠	처	쳐	초	쵸	추	츄	츠	치
【11】 ㅋ [kʰ]	카	캬	커	켜	코	쿄	쿠	큐	크	키
【12】 ㅌ [tʰ]	타	탸	터	텨	토	툐	투	튜	트	티
【13】 ㅍ [pʰ]	파	퍄	퍼	펴	포	표	푸	퓨	프	피
【14】 ㅎ [h]	하	햐	허	혀	호	효	후	휴	흐	히
【15】 ㄲ [ˀk]	까	꺄	꺼	껴	꼬	꾜	꾸	뀨	끄	끼
【16】 ㄸ [ˀt]	따	땨	떠	뗘	또	뚀	뚜	뜌	뜨	띠
【17】 ㅃ [ˀp]	빠	뺘	뻐	뼈	뽀	뾰	뿌	쀼	쁘	삐
【18】 ㅆ [ˀs]	싸	쌰	써	쎠	쏘	쑈	쑤	쓔	쓰	씨
【19】 ㅉ [ˀtʃ]	짜	쨔	쩌	쪄	쪼	쬬	쭈	쮸	쯔	찌

【11】	【12】	【13】	【14】	【15】	【16】	【17】	【18】	【19】	【20】	【21】
ㅐ [ɛ]	ㅒ [jɛ]	ㅔ [e]	ㅖ [je]	ㅘ [wa]	ㅙ [wɛ]	ㅚ [we]	ㅝ [wɔ]	ㅞ [we]	ㅟ [wi]	ㅢ [ɯi]
개	걔	게	계	과	괘	괴	궈	궤	귀	긔
내	냬	네	녜	놔	놰	뇌	눠	눼	뉘	늬
대	댸	데	뎨	돠	돼	되	둬	뒈	뒤	듸
래	럐	레	례	롸	뢔	뢰	뤄	뤠	뤼	릐
매	먜	메	몌	뫄	뫠	뫼	뭐	뭬	뮈	믜
배	뱨	베	볘	봐	봬	뵈	붜	붸	뷔	븨
새	섀	세	셰	솨	쇄	쇠	숴	쉐	쉬	싀
애	얘	에	예	와	왜	외	워	웨	위	의
재	쟤	제	졔	좌	좨	죄	줘	줴	쥐	즤
채	챼	체	쳬	촤	쵀	최	춰	췌	취	츼
캐	컈	케	켸	콰	쾌	쾨	쿼	퀘	퀴	킈
태	턔	테	톄	톼	퇘	퇴	퉈	퉤	튀	틔
패	퍠	페	폐	퐈	퐤	푀	풔	풰	퓌	픠
해	햬	헤	혜	화	홰	회	훠	훼	휘	희
깨	꺠	께	꼐	꽈	꽤	꾀	꿔	꿰	뀌	끠
때	떄	떼	뗴	똬	뙈	뙤	뚸	뛔	뛰	띄
빼	뺴	뻬	뼤	뽜	뽸	뾔	뿨	쀄	쀠	쁴
쌔	썌	쎄	쎼	쏴	쐐	쐬	쒀	쒜	쒸	씌
째	쨰	쩨	쪠	쫘	쫴	쬐	쭤	쮀	쮜	쯰

かな文字のハングル表記
（大韓民国方式）

【かな】	【ハングル】	
	＜語頭＞	＜語中＞
あ い う え お	아 이 우 에 오	아 이 우 에 오
か き く け こ	가 기 구 게 고	카 키 쿠 케 코
さ し す せ そ	사 시 스 세 소	사 시 스 세 소
た ち つ て と	다 지 쓰 데 도	타 치 쓰 테 토
な に ぬ ね の	나 니 누 네 노	나 니 누 네 노
は ひ ふ へ ほ	하 히 후 헤 호	하 히 후 헤 호
ま み む め も	마 미 무 메 모	마 미 무 메 모
や ゆ よ	야 유 요	야 유 요
ら り る れ ろ	라 리 루 레 로	라 리 루 레 로
わ を	와 오	와 오
が ぎ ぐ げ ご	가 기 구 게 고	가 기 구 게 고
ざ じ ず ぜ ぞ	자 지 즈 제 조	자 지 즈 제 조
だ ぢ づ で ど	다 지 즈 데 도	다 지 즈 데 도
ば び ぶ べ ぼ	바 비 부 베 보	바 비 부 베 보
ぱ ぴ ぷ ぺ ぽ	파 피 푸 페 포	파 피 푸 페 포
きゃ きゅ きょ	갸 규 교	캬 큐 쿄
しゃ しゅ しょ	샤 슈 쇼	샤 슈 쇼
ちゃ ちゅ ちょ	자 주 조	차 추 초
にゃ にゅ にょ	냐 뉴 뇨	냐 뉴 뇨
ひゃ ひゅ ひょ	햐 휴 효	햐 휴 효
みゃ みゅ みょ	먀 뮤 묘	먀 뮤 묘
りゃ りゅ りょ	랴 류 료	랴 류 료
ぎゃ ぎゅ ぎょ	갸 규 교	갸 규 교
じゃ じゅ じょ	자 주 조	자 주 조
びゃ びゅ びょ	뱌 뷰 뵤	뱌 뷰 뵤
ぴゃ ぴゅ ぴょ	퍄 퓨 표	퍄 퓨 표

撥音の「ん」と促音の「っ」はそれぞれパッチムのㄴ、ㅅで表す。
長母音は表記しない。タ行、ザ行、ダ行に注意。

かな文字のハングル表記
(朝鮮民主主義人民共和国方式)

【かな】	【ハングル】									
	< 語頭 >					< 語中 >				
あいうえお	아	이	우	에	오	아	이	우	에	오
かきくけこ	가	기	구	게	고	까	끼	꾸	께	꼬
さしすせそ	사	시	스	세	소	사	시	스	세	소
たちつてと	다	지	쯔	데	도	따	찌	쯔	떼	또
なにぬねの	나	니	누	네	노	나	니	누	네	노
はひふへほ	하	히	후	헤	호	하	히	후	헤	호
まみむめも	마	미	무	메	모	마	미	무	메	모
や　ゆ　よ	야		유		요	야		유		요
らりるれろ	라	리	루	레	로	라	리	루	레	로
わ　　　を	와				오	와				오
がぎぐげご	가	기	구	게	고	가	기	구	게	고
ざじずぜぞ	자	지	즈	제	조	자	지	즈	제	조
だぢづでど	다	지	즈	데	도	다	지	즈	데	도
ばびぶべぼ	바	비	부	베	보	바	비	부	베	보
ぱぴぷぺぽ	빠	삐	뿌	뻬	뽀	빠	삐	뿌	뻬	뽀
きゃきゅきょ	갸		규		교	꺄		뀨		꾜
しゃしゅしょ	샤		슈		쇼	샤		슈		쇼
ちゃちゅちょ	쟈		쥬		죠	쨔		쮸		쬬
にゃにゅにょ	냐		뉴		뇨	냐		뉴		뇨
ひゃひゅひょ	햐		휴		효	햐		휴		효
みゃみゅみょ	먀		뮤		묘	먀		뮤		묘
りゃりゅりょ	랴		류		료	랴		류		료
ぎゃぎゅぎょ	갸		규		교	갸		규		교
じゃじゅじょ	쟈		쥬		죠	쟈		쥬		죠
びゃびゅびょ	뱌		뷰		뵤	뱌		뷰		뵤
ぴゃぴゅぴょ	뺘		쀼		뾰	뺘		쀼		뾰

撥音の「ん」は語末と母音の前ではㅇパッチム、それ以外ではㄴパッチムで表す。
促音の「っ」は、か行の前ではㄱパッチム、それ以外ではㅅパッチムで表す。
長母音は表記しない。タ行、ザ行、ダ行に注意。

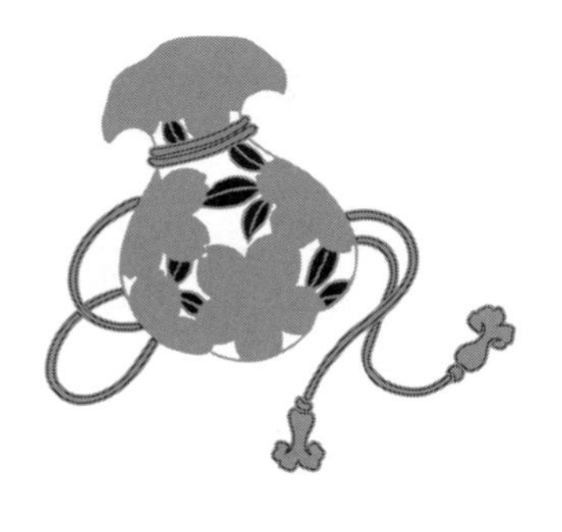

「ハングル」能力検定試験

2019年春季　第52回検定試験状況

●試験の配点と平均点・最高点

級	配点（100点満点中）			全国平均点			全国最高点		
	聞・書	筆記	合格点（以上）	聞・書	筆記	合計	聞・書	筆記	合計
1級	40	60	70	20	33	53	34	49	81
2級	40	60	70	26	35	62	40	58	97
準2級	40	60	70	27	37	64	40	58	98
3級	40	60	60	22	34	57	40	60	98
4級	40	60	60	29	43	73	40	60	100
5級	40	60	60	33	49	82	40	60	100

●出願者・受験者・合格者数など

	出願者数（人）	受験者数（人）	合格者数（人）	合格率	累計（1回～52回）		
					出願者数	受験者数	合格者数
1級	87	83	10	12.0%	4,598	4,198	481
2級	361	309	109	35.3%	23,713	21,225	2,942
準2級	1,042	899	378	42.0%	56,954	51,436	16,508
3級	2,369	2,056	909	44.2%	104,966	93,571	49,179
4級	2,863	2,488	1,935	77.8%	124,161	110,348	80,215
5級	2,585	2,236	1,966	87.9%	111,501	99,286	79,770
合計	9,307	8,071	5,307	65.8%	426,836	380,936	229,181

※累計の各合計数には第18回～第25回までの準1級出願者、受験者、合格者数が含まれます。

■年代別出願者数

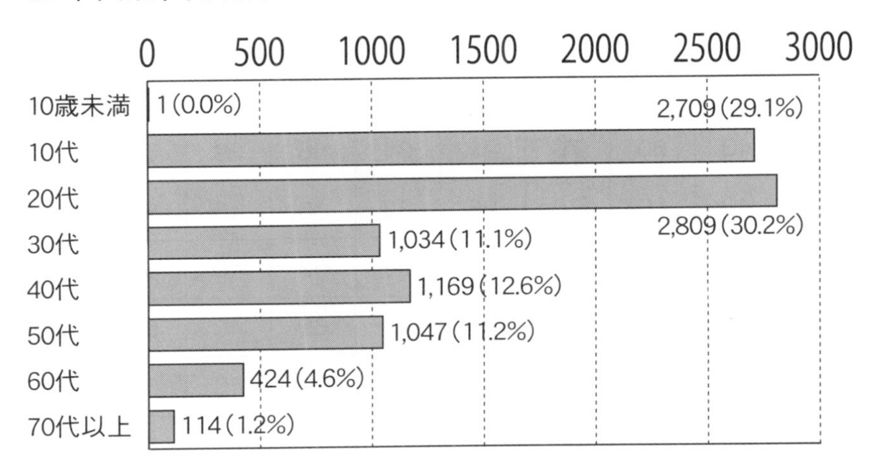

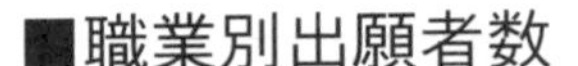

■職業別出願者数

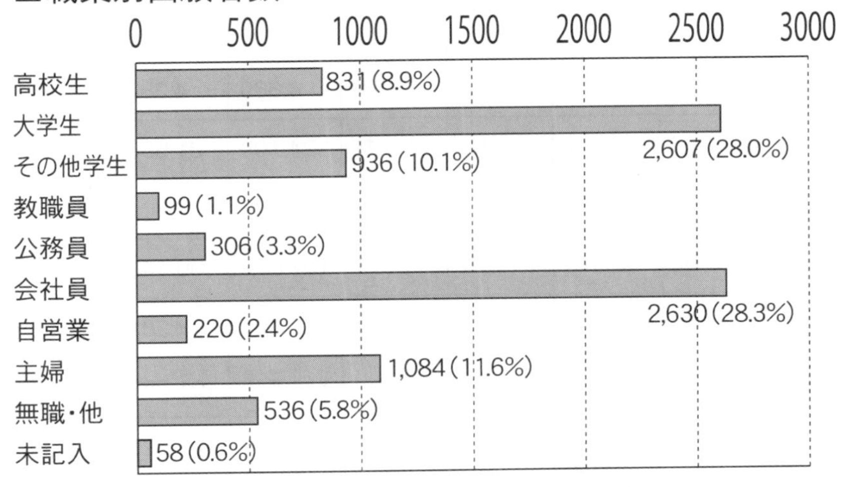

2019年秋季　第53回検定試験状況

●試験の配点と平均点・最高点

級	配点（100点満点中）			全国平均点			全国最高点		
	聞・書	筆記	合格点（以上）	聞・書	筆記	合計	聞・書	筆記	合計
1級	40	60	70	21	34	56	39	52	86
2級	40	60	70	26	33	60	40	55	93
準2級	40	60	70	25	38	63	40	60	100
3級	40	60	60	26	43	69	40	60	100
4級	40	60	60	28	42	70	40	60	100
5級	40	60	60	31	44	76	40	60	100

●出願者・受験者・合格者数など

	出願者数（人）	受験者数（人）	合格者数（人）	合格率	累計（1回～53回）		
					出願者数	受験者数	合格者数
1級	91	84	15	17.8%	4,689	4,282	496
2級	396	331	91	27.4%	24,109	21,556	3,033
準2級	1,193	1,065	406	38.1%	58,147	52,501	16,914
3級	2,906	2,575	1,864	72.3%	107,872	96,146	51,043
4級	3,360	2,933	2,173	74.0%	127,521	113,281	82,388
5級	2,978	2,601	2,059	79.1%	114,479	101,887	81,829
合計	10,924	9,589	6,608	68.9%	437,760	390,525	235,789

※累計の各合計数には第18回～第25回までの準1級出願者、受験者、合格者数が含まれます。

■年代別出願者数

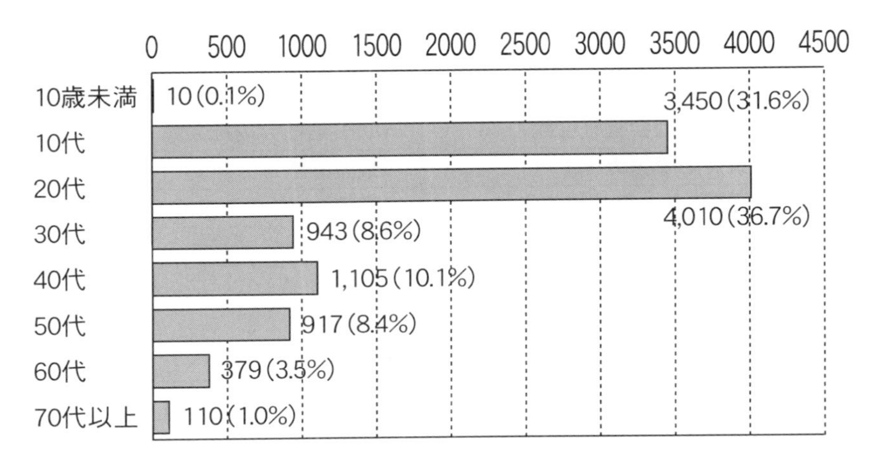

■職業別出願者数

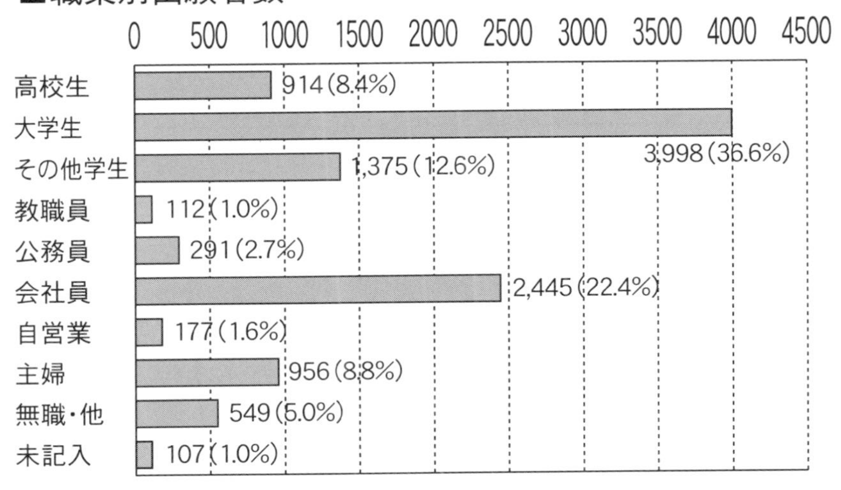

春季第52回・秋季第53回 試験会場一覧

都道府県コード順

〈東日本〉

受験地	第52回会場	第53回会場
札　幌	かでる２・７	北海商科大学
盛　岡	いわて県民情報交流センター「アイーナ」	いわて県民情報交流センター「アイーナ」
仙　台	ショーケー本館ビル	ショーケー本館ビル
秋　田	秋田県社会福祉会館	秋田県社会福祉会館
茨　城	筑波国際アカデミー	筑波国際アカデミー
宇都宮	国際ＴＢＣ高等専修学校	国際ＴＢＣ高等専修学校
群　馬		藤岡市総合学習センター
埼　玉	獨協大学	獨協大学
千　葉	千葉経済大学短期大学部	敬愛大学
東京Ａ	専修大学（神田キャンパス）	フォーラムエイト
東京Ｂ	東京学芸大学（小金井キャンパス）	武蔵野大学（武蔵野キャンパス）
神奈川	神奈川大学（横浜キャンパス）	神奈川大学（横浜キャンパス）
新　潟	新潟県立大学	新潟県立大学
富　山	富山県立伏木高等学校	富山県立伏木高等学校
石　川	金沢勤労者プラザ	金沢勤労者プラザ
長　野		長野朝鮮初中級学校
静　岡	静岡学園早慶セミナー	静岡県男女共同参画センターあざれあ
浜　松		浜松労政会館

春季第52回・秋季第53回 試験会場一覧

都道府県コード順

〈西日本〉

受験地	第52回会場	第53回会場
名古屋	IMYビル	IMYビル
四日市		四日市朝鮮初中級学校
京　都	京都女子大学	京都女子大学
大　阪	関西大学(千里山キャンパス)	関西大学(千里山キャンパス)
神　戸	神戸市外国語大学	神戸市外国語大学
鳥　取	鳥取市福祉文化会館	鳥取市福祉文化会館
岡　山		岡山朝鮮初中級学校
広　島	広島ＹＭＣＡ国際文化センター	広島ＹＭＣＡ国際文化センター
香　川	アイパル香川	アイパル香川
愛　媛	松山大学(樋又キャンパス)	松山大学(文京キャンパス)
福　岡	西南学院大学	西南学院大学
北九州	北九州市立八幡東生涯学習センター	北九州市立八幡東生涯学習センター
佐　賀	メートプラザ佐賀	佐賀県立佐賀商業高等学校
熊　本	くまもと県民交流館パレア	熊本市国際交流会館
大　分	立命館アジア太平洋大学	立命館アジア太平洋大学
鹿児島	鹿児島県青少年会館	鹿児島県文化センター宝山ホール
沖　縄	浦添市産業振興センター「結の街」	浦添市産業振興センター「結の街」

◆準会場での試験実施は、第52回31ヶ所、第53回37ヶ所となりました。
皆様のご協力に感謝いたします。

1級2次試験会場一覧

都道府県コード順

※1級1次試験合格者対象

受験地	第52回会場	第53回会場
東　京	ハングル能力検定協会　事務所	ハングル能力検定協会　事務所
大　阪	新大阪丸ビル別館	新大阪丸ビル別館
福　岡		

●合格ラインと出題項目一覧について

◇合格ライン

	聞きとり		筆記		合格点
	配点	必須得点(以上)	配点	必須得点(以上)	100点満点中(以上)
5級	40		60		60
4級	40		60		60
3級	40	12	60	24	60
準2級	40	12	60	30	70
2級	40	16	60	30	70
	聞きとり・書きとり		筆記・記述式		
	配点	必須得点(以上)	配点	必須得点(以上)	
1級	40	16	60	30	70

◆解答は、５級から２級まではすべてマークシート方式です。
１級は、マークシートと記述による解答方式です。

◆５、４級は合格点(60点)に達していても、聞きとり試験を受けていないと不合格になります。

◇出題項目一覧

	初級		中級		上級	
	5級	4級	3級	準2級	2級	1級
学習時間の目安	40時間	80	160	240～300	—	—
発音と文字					＊	＊
正書法						
語彙						
擬声擬態語			＊	＊		
接辞、依存名詞						
漢字						
文法項目と慣用表現						
連語						
四字熟語				＊		
慣用句						
ことわざ						
縮約形など						
表現の意図						
テクストの理解と産出 内容理解						
テクストの理解と産出 接続表現	＊	＊				
テクストの理解と産出 指示詞	＊	＊				

※灰色部分が、各級の主な出題項目です。
「＊」の部分は、個別の単語として取り扱われる場合があることを意味します。

協会発行書籍案内　협회 발간 서적 안내

「ハングル」検定公式テキスト
ペウギ 準2級/3級/4級/5級

ハン検公式テキスト。これで合格を
目指す！　暗記用赤シート付。
準2級/2,700円（税別）※CD付き
3級/2,500円（税別）
5級、4級/各2,200円（税別）
※A5版、音声ペン対応

新装版　合格トウミ
初級編 / 中級編 / 上級編

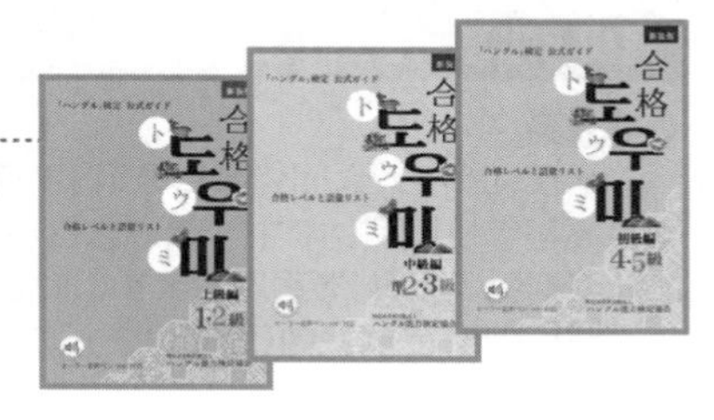

レベル別に出題語彙、慣用句、慣用表現
等をまとめた受験者必携の一冊。
暗記用赤シート付。
初級編/1,600円（税別）
中級編、上級編/2,200円（税別）
※A5版、音声ペン対応

中級以上の方のためのリスニングBOOK
読む・書く「ハン検」

長文をたくさん読んで「読む力」を鍛える！
1,800円（税別）
※A5版、音声ペン対応
別売CD/1,500円（税別）

ハン検 過去問題集（CD付）

年度別に試験問題を収録した過去問題集。
学習に役立つワンポイントアドバイス付！
1、2級/2,000円（税別）
準2、3級/1,800円（税別）
4、5級/1,600円（税別）

2020年版「ハングル」能力検定試験

ハン検 過去問題集〈1級〉

2020年3月1日発行

編　著　特定非営利活動法人
ハングル能力検定協会

発　行　特定非営利活動法人
ハングル能力検定協会
〒101-0051 東京都千代田区神田神保町2-22-5Ｆ
TEL 03-5858-9101　FAX 03-5858-9103
http://www.hangul.or.jp

製　作　現代綜合出版印刷株式会社

定価（本体2,000円＋税）
HANGUL NOURYOKU KENTEIKYOUKAI
ISBN 978-4-903096-98-8　C0087　¥2000E